李洪志

法輪功

大法

李洪志

正法十八年春

旋法至極

佛法無邊

法輪常轉

這個法輪圖形是宇宙的縮影，他在其它各個空間也有他存在的形式、演化過程，所以我說是一個世界。

李洪志

目錄

第二章　法輪功

第一章 概論

氣功在我國源遠流長，有著悠久的歷史，因此，我國人民修煉氣功有著得天獨厚的條件。作為正法修煉的佛、道兩大家氣功，已經公開了許多秘傳大法。道家的修煉方法是很獨特的；佛家也有自己的修煉方法。法輪功就是佛家氣功的高層次修煉大法。在傳授班上，我首先要把大家的身體調整到適合往高層次上修煉的狀態，然後還要給大家身上下法輪和氣機，再把功法教給大家。除此以外，我還有法身保護你們。但是，僅僅這些還很不夠，還不能達到長功的目地，還要求大家必須懂得高層次上修煉的道理。這就是本書要講的內容。

我在高層次上講功，所以我不講修哪個脈、哪個穴、哪條經絡，我是講修煉大法，是真正往高層次上修煉的大法。初聽起來可能覺的玄，但對有志於氣功修煉者，只要細心體悟，奧妙盡在其中。

一、氣功的淵源

我們現在所說的氣功，實際上並不叫氣功。它來源於中國古代人的獨修，或來自宗教的修煉。翻遍所有的丹經、道藏，翻遍所有的大藏經，也找不到「氣功」兩個字。在我們現有人類文明成度這個階段的發展當中，它經歷了宗教雛形時期。在宗教形成之前，氣功已經存在了。有了宗教之後，它帶有一定的宗教色彩。它原來的名字叫作修佛大法、修道大法；還有諸如九轉金丹術、羅漢法、金剛禪之類的名字。我們現在把它叫「氣功」，是為了更適合我們現代人的意識，是為了在社會上更容易普及。它實質上是我們中國純純粹的人體修煉的東西。

氣功不是我們這茬人類發明的東西，它有相當久遠年代的歷史。那麼氣功是甚麼時間產生的呢？有人講氣功已有三千年歷史，唐代時期盛行。有人講有五千年歷史，與中華民族文化一樣悠久。有人講，從出土文物看，已有七千年歷史。我看氣功不是現代人類發明的，它是史前文化。據有功能的人查，我們生活的這個宇宙已經是九次爆炸後的組合體。

我們生活的這個星球已毀滅過多次。每當星球從新組合成後，又從新繁衍人類。現在，我們已發現世界有許多超出現代文明的東西。按照達爾文的進化論，人是猿猴進化過來的，文明也沒超過一萬年。但從出土文物中發現，在歐洲阿爾卑斯山岩洞裏有二十五萬年以前的壁畫，有很高的藝術欣賞價值，為現代人所不及。在秘魯國立大學的博物館裏有塊大石頭，上面刻著一個人，拿著望遠鏡觀察天體。這個人像已有三萬多年歷史。大家知道，伽利略他在一六零九年發明的三十倍天文望遠鏡，到現在也不過三百多年歷史，三萬年以前哪有望遠鏡呢？印度有個鐵棒，含鐵純度達百分之九十九點幾。按現在冶煉技術也不可能煉出這麼高純度的鐵來，已超出現代技術水平。是誰創造了這個文明？人類在那時也許還是微生物呢，怎麼可能創造這些東西呢？這些東西的發現，引起了世界各國科學家的重視。因為解釋不了，就叫它「史前文化」。

每個時期的科學水平都不一樣，有的時期相當高，超出我們現代人類水平。但是那個文明被毀掉了，所以我說，氣功不是我們現代人發明的，不是現代人創造的，而是現代人發現和完善的，它是史前文化。

氣功並非是我國獨有的産物，外國也有。但他們不叫氣功，西方國家叫魔術，在美國、英國等國家就這麼叫。美國有個魔術師，實際上他是個特異功能大師，表演穿過長城的城牆。當時他穿的時候是用白布把自己罩起來，扣在牆上，然後他穿過去。他為甚麼這樣做呢？這樣一做，好多人就看，是變魔術了。因為他不這樣做不行。他知道我們中國有許多高人，他怕受到這個干擾，所以他就把自己罩起再進去。出來的時候，伸出一隻手，把布頂起來人就走出來了。「內行看門道，外行看熱鬧」，這樣觀眾就認為是變魔術。他們之所以把這些功能叫魔術，是因為他們不是用這個東西來修煉身體，而是用來在舞台上表演以顯示出神奇和取樂。因此，從低層次上講，氣功是改變人的身體狀況，達到祛病健身的目地；從高層上講，氣功就是指修煉本體。

二、氣與功

我們現在所說的「氣」，古人稱之為「炁」，其本質是一樣的，都是指宇宙之氣，是指宇宙中的一種無形無像的物質。它不是指空氣的氣。人體通過修煉，調動起這種物質的能量，能夠改變人體狀況，起到祛病強身的作用。但是，氣就是氣，你也有氣，他也有氣，氣與氣之間沒有制約作用。有的人講，氣能治病；或者說你給誰發點氣，給他治治病。這些說法是很不科學的，因為氣根本治不了病。煉功人在他身上還有氣的時候，就說明他的身體還不是奶白體，說明他還有病。

煉到高功夫的人，他發出的不是氣，而是高能量團，是表現為光的形式的高能量物質，顆粒很細，密度很大，這就是功，這時才能對常人起制約作用，才能給人看病。有一句話叫作：佛光普照，禮義圓明。意思是對正法修煉者來說，他身體所攜帶的能量很大，在他所經過之處，在他的能量覆蓋範圍之內，可以糾正一切不正常狀態，使之變為正常狀態。比如人的身體有病，就是身體上有不正常狀態，糾正了這種狀態病也就消除了。通俗點說，功就是能量。功具有物質性，煉功人通過修煉，可以體察到它的客觀存在。

三、功力與功能

（一）功力是靠心性修出來的

真正決定人的功力層次的功不是煉出來的，它是靠「德」這種物質轉化來的，靠修心性修出來的。這個轉化過程也不像常人所想像的安鼎設爐、採藥煉丹煉出來的。我們所說的功是產生在體外，從人體下半部開始，隨著心性的提高就螺旋式的往上長，完全在體外形成，然後在頭頂上形成功柱。功柱有多高，就決定了這個人功有多高。功柱在很隱蔽的空間，一般人不容易看到。

功能靠功力所加持，功力高、層次高的人功能就大，運用就自如；功力低的人功能就小，運用就不自如，甚至運用不了。功能本身並不能代表一個人的功力大小、層次高低。決定一個人層次高低的是功力而不是功能。有的人是「鎖」起來煉的，他的功力很高，但不一定有多少功能。功力是起決定作用的，是靠心性修出來的，這是最關鍵的東西。

（二）功能不是煉功人的追求

所有煉功人都關心功能，神通在社會上很有誘惑力，很多人都想具備一些功能。但是，心性不好，是不會具備這些功能的。

有些功能是常人可能有的，如天目開、天耳通、思維傳感、預測功能等。但這些功能因人而異，在漸悟狀態中不會全有。有些功能是常人不可能有的，比如把一種現實空間的物體轉變為另外一種物體，這是常人不可能有的。大功能是靠後天煉出來的。法輪功按照宇宙的原理演化而來，宇宙中存在的功能法輪功裏都有，就看煉功人修煉的如何了。想得到一些功能的想法並不算錯誤，但是，過於強烈的追求，就不是一般的想法，就會產生不良的後果。在低層次上得點功能沒有多少用處，無非想用一用，在常人面前顯示一下本事，做常人的強者。如果是這樣，正說明心性不高，不給功能是對的。有些功能，如果給心性不好的人是可以用來幹壞事的，因為心性不牢靠就無法保證他不幹壞事。

另一方面，凡屬可拿出來表演的功能，都不能用於改變人類社會，改變不了正常的社會生活。真正的高功能是不允許拿出來表演的，因為它的影響和危險太大了。正如總不能表演把一座大樓搬倒。對於特別大的功能，除非負有特殊使命的人才允許使用，否則是不允許使用的，也是拿不出來的，因為是要受到上師那裏控制的。

可是往往有些常人非讓氣功師表演表演，逼著他拿出來看看。有功能的人都不願意把功能拿出來表演，因為那是不允許拿出來的，拿出來要影響整個社會狀態的。真正的大德之人，他的功能是不允許拿出來的。有的氣功師表演時心情很不好，他回去之後，恨不能大哭一場。不要去逼他表演！他拿出那個東西是難受的。有個學員拿了一本雜誌，我一看那東西很反感。意思是：開國際氣功會議，有功能的可以拿功能來參加比賽，誰功能強誰去。我看完之後，我那心難受好幾天。這東西是不能拿出來比賽的，拿出來是要後悔的。常人嘛，他就注重世間實際的東西，但氣功師就得要自重。

要功能的目地是為甚麼？它反映著煉功人的思想境界和追求，思想所求不純正，不牢靠，不可能得高功能。這裏有一個原因，就是在你還沒有開悟之前，你所看到的事物好壞，僅僅是按照世間法的是非標準，你看不到事情的真相，看不到事情的因緣關係。人與人之間的打罵、欺負必有因緣存在，你看不透只能幫倒忙。常人間的恩恩怨怨，是是非非，自有世間法去管，煉功人不要管。因為在你還沒有開悟之前，你眼前所看見的事情的真相不一定是你所看見的那樣。誰打了誰一拳，可能就是他們結「業」，你去管可能妨礙了他們結「業」。「業」是人體周圍的一種黑黑的東西，它是在另一個空間的物質存在，這個東西可以轉化成病和災。

功能人人都有，問題是要通過不斷的修煉加以開發和加強。作為煉功人，如果只追求得到功能，是目光短淺，思想不純，不管他要功能幹甚麼，其間都包含著私心，必然妨礙煉功，其結果就是得不到功能。

（三）功力的把握

有的煉功人煉功時間不長，就想給人治病，看看靈不靈。對於功力不高的人，你伸手一試，就把病人體內大量的黑氣、病氣、濁氣吸到自己身上來了。因為你沒有防禦病氣的能力，身上又沒有保護罩，與病人形成了一個場，功力不高就防備不了，自己會感到很難受。如果沒有人管你，時間長了，會搞的渾身是病。因此，功力不高的人，不能給別人看病。除非你已經出了功能，並具備了一定的功力，才能用氣功看病。有些人雖然出了功能，可以看病，但在層次很低時，實際是用積存的功力來看病，用自身的能量看病。因為功就是能量，是靈體，是很不容易積存起來的，把這個功打出去就是在消耗自己。隨著你往外發功，頭上功柱的高度就在縮短、消耗，這是很不值得的。所以，我不主張在功力不高時就去給人看病。無論你的手法有多高，也無非是在消耗自身的能量。

功力到了一定成度，就會出現各種功能，如何使用這些功能，也需要非常謹慎。比如天目開了，不看也不行，總不用就容易關上。看也不能經常看，看的太多能量泄漏也多。那麼，是不是要大家永遠不用呢？當然不是。如果永遠不用還修煉幹甚麼？問題是在甚麼時候用。只有修煉到一定成度，具備了自我補償能力時，就可以用了。法輪功修煉到一定成度，發出去多少功，法輪可以自動演化補充，自動保持煉功人的功力水平，一時一刻都不會減少，這是法輪功的特點。只有到這時，才能使用功能。

四、天目

(一)開天目

天目的主要通道在前額中間至山根處。常人用肉眼看物就如同一部照像機的原理一樣，隨著距離的遠近和光線的強弱，通過調整玻璃體或瞳孔的大小，使圖象通過神經元在大腦後半部的松果體上成象。特異功能的透視就是通過天目直接使松果體向外看。一般人的天目不通，主通道的位置上縫隙很窄、很黑，裏面没有靈氣，不發光。有些人是堵塞的，所以看不見。

我們開天目，一是通過外力或自己修煉打開通道。每個人的通道形狀不一樣，有橢圓形的、圓形的、菱形的、三角形的，煉的越好可以修的越圓。二是由師父給你一隻眼睛，如果自己修煉就得自己修。三是在天目部位要有精華之氣。

通常我們看東西是通過兩隻眼睛在看，恰恰就是這兩隻眼睛隔住了我們通向另外空間的通道，它起著屏障作用，我們只能看到我們這個物質空間的東西。開天目就是避開這兩隻眼睛在看。到了很高層次後，也可以修出真眼來，就可以用天目的真眼來看或者用山根部位真眼來看。按佛家講：每個汗毛孔都是眼睛，全身都是眼睛。按道家講：每個穴位都是眼睛。但主通道在天目，必須它先開。在傳授班上，我給每個人都下了開天目的東西。由於每個人的身體素質不同，出現的效果也不一樣。有的人看到一個黑洞像深井一樣，這就是天目通道是黑的。有的人看到的是白色通道，如果能看到前面有東西就是要開了。有的人看到有東西在旋轉，這就是師父下的開天目的東西，鑽通天目後就可以看了。

有的人天目能看到一隻大眼睛，以為是佛眼，而實際上是他自己的眼睛，這往往是先天根基比較好的人。

據我們統計，每次辦班開天目的人都在半數以上。因為天目打開之後就涉及一個問題：心性不高的人他容易用它來做壞事。為了防止這個問題，我把你的天目直接打到慧眼通的層次上，也就是說打到高層次上去，讓你直接看到另外空間的景象，讓你看到在煉功中出現的東西，使你相信它，會增強你煉功的信心。剛剛開始煉功的人，心性還不能達到超常人的高度，一旦具備了超常人的東西，就容易去做一些不好的事情。舉個例子說個笑話，如果你走在大街上發現那個摸獎券的，可能那個一等獎都得叫你摸去，就講這個意思，是不允許這樣做的。另一個原因，我們這裏也是屬於大面積的開天目，假如都給開在低層次上，大家想一想，如果每個人都能透視人體，都能隔牆看物，我說那是人類社會嗎？嚴重的干擾了常人社會的狀態，所以是不允許的，也是不能夠這樣做的，而且對煉功人也沒有好處，助長煉功人的執著心。所以不給你打到低層次上，而直接給你打到高層次上去。

（二）天目的層次

天目具有多種層次。其層次不同，所看到的空間也不相同。按佛教所說有「五通」，即肉眼通、天眼通、慧眼通、法眼通、佛眼通。每一層次還有上、中、下之分。在天眼通以下的層次，只能看到我們這個物質世界。在慧眼通以上的層次，才可以看到其它空間。有些人具有透視功能，而且看的很準確，比「CT」掃描還清楚。但他看到的依然是我們這個物質世界，還沒有超出我們存在的空間，還不算天目的高層次。

一個人天目的層次有多高是由這個人的精華之氣的多少和主通道的寬窄、亮度以及通道的堵塞成度決定的。天目開的透不透，內部精華之氣是關鍵因素。對於六歲以下的小孩，開天目是特別容易的，我都不用動手，我一說他就打開了。因為小孩先天受物質世界的不良影響很小，自己也沒做甚麼壞事，那種先天的精華之氣保存的非常好。六歲以上的小孩，天目逐漸難開，是因為隨著年齡的增長，受到的外界影響增加。特別是不良的後天教育，放縱變壞都可以使他的精華之氣消散，到一定成度就可能散盡了。對於精華之氣散盡的人，是可以通過後天煉功逐漸彌補的，但要花很長時間，要付出很多的辛苦。所以說，精華之氣是極其珍貴的。

我不主張給人的天目開在天眼通的層次上，因為在煉功人功力不大的時候，煉功中積攢的能量還不如透視時付出的能量多。靈氣散失多了，天目可能會再度關閉，一旦關閉後再開就不容易了。所以，我一般為人開天目是開在慧眼通的層次上。不管看的清楚與否，可以使修煉者看到另外空間的東西。受先天條件的影響，有人看的很清楚；有人看到的東西忽隱忽現；有人看不清楚，但最低可以使你看到光。這樣，對於煉功者向高層次發展是有好處的，看不清楚可以通過煉功後天彌補。

精華之氣不足的人，天目看的景象是黑白的；精華之氣較多的人，天目看的景象是彩色的，所看到的景象也更清晰。精華之氣越多，清晰度越好。但是，每個人都不一樣，有的人天目生來就是開的，有的人則堵塞的比較嚴實。天目開時的景象，有點像花朵開放一樣，一層一層的開。打坐時，開始發現天目有一團光，開始光不太亮，以後又會變紅。有的人天目封閉的緊，開時反應可能很劇烈。會感到主通道和山根處肌肉發緊，好像那裏的肉聚在一起往裏鑽，太陽穴和前額發漲、發痛，這都是開天目的反應。天目容易開的人，偶然間可能看到某些東西。在傳授班上有人無意中看到了我的法身，當他有意看時又沒有了，其實是用了眼睛看了。當閉目時看到甚麼，就始終保持那個狀態，漸漸就可以看的清楚些。若想仔細看，其實就是動了眼睛了，走了視神經了，就看不到了。

天目層次不同所看到的空間也不同，有的科研部門不懂得這個道理，使的有些氣功試驗達不到預期的效果，甚至會出現相反的結果。比如，有個單位設計了一種測試特異功能的方法，讓氣功師看一個密封的盒子裏有甚麼東西。由於氣功師的天目層次不同，所回答的結果也各不相同，為此，測試人員認為天目是假的，是騙人的。這樣測試往往是天目層次低的人透視的效果好，因為他的天目只開在天眼通的層次上，只適宜觀察物質空間的事物，所以不懂天目的人認為他的功能最高。任何物體，不論它是有機物還是無機物，在不同空間將顯示不同的樣子。比如一個杯子，當它做出來時，就同時有一個靈體存在於另一個空間了，而且這個靈體存在之前還可能是別的東西。天目層次最低的看見是杯子；高一層的看的是另外空間的那個靈體；再高一些看的是那個靈體之前的物質形式。

（三）遙視

天目開了之後，有人會出現遙視，能夠看到遠隔千里之外的東西。每個人都有其自己佔據的空間，在這個空間中他像個宇宙大小，在他特定空間，他額前有面鏡子，在我們這個空間看不到。這面鏡子每個人都有，只是不煉功的人這面鏡子是扣著的；煉功的人這面鏡子逐漸翻過來。翻過來後就能照射到他所要看的東西。在他特定空間，他是相當大的，其身軀很大，這面鏡子也就很大，想看甚麼鏡子就能照到。但照到了他還看不見，圖象還應停留在鏡子上一瞬間。鏡子會翻轉，把照到的物體讓你看一眼又翻過去，很快的再翻過去，不停的翻轉。電影膠片是每秒鐘二十四個格就能看到連續動作。鏡子的翻轉速度比這個還快，所以看起來是連貫的，看的很清楚，這就是遙視。遙視的道理就這麼簡單。這都是密中之密，我幾句話就把它說出來了。

（四）空間

空間，我們看它是很複雜的。我們人類只知道現在人類存在的空間，其它空間還無法探測出來。對另外空間，我們氣功師已看到幾十層次空間，從理論上也能解釋出來，但在科學上還無法證實。有些東西儘管你不承認它存在，而它實實在在的反映到我們空間來了。比如說，世界上有個地方叫百慕大群島，人稱魔鬼三角，有的船到那兒就沒了；有的飛機到那兒就沒了，過多少年之後又出現了。誰也解釋不了這個原因，誰也沒有跑出現有人類思維的理論。實際上它就是通到另一空間的通道。它不像我們這扇門似的正規的有個門，它那個陰差陽錯的就是那個狀態，船要趕上這個陰差陽錯門錯開了，它就容易進去。人感受不到這個空間差，瞬間就進去了，它和我們的時空差，不能用里程來表示，十萬八千里那麼遠，在這兒就那麼一點，就是同時同地存在。船進去晃盪那麼一會兒，陰差陽錯又出來了，可是世上已過幾十年了，因為兩個空間的時間不一樣。每個空間裏還有單元世界，就像我們畫原子結構圖似的，一個球中間一根連線，七叉八叉都是球，都有連線，是很複雜的。

在第二次世界大戰前四年，英國空軍有個飛行員去執行任務，中途遇到暴風驟雨，憑他的經驗找到一個廢棄機場。當機場一出現在眼前時，突然是另一番景象，一下子滿天萬里無雲，就像從另外世界鑽出來一樣。機場上的飛機已塗上黃色，地面上有忙忙碌碌的人，他覺的很奇怪！降落後沒人理他，指揮塔也不與他聯繫。他看天也晴了，乾脆走吧，他又起飛了。在飛離機場相當於他剛才看到機場這麼一個距離，一頭又扎進暴風雨中去了。最後總算飛返回去了。他彙報情況，飛行記錄都寫出來了，上司不信。四年後，第二次世界大戰爆發。把他調防到那個廢棄機場。他一下子想起四年前的景象與這一模一樣。我們氣功師都知道是怎麼一回事，他就是超前跑到四年後把事先做了一番，他就是超前跑到那邊去先演了一場，第一場還沒開始他先演了一場，回頭順著順序再演。

五、氣功治病與醫院治病

從理論上講，氣功治病與醫院治病是完全不同的。西醫看病是用常人社會的手法，儘管有化驗，X光檢查等手段，都只能觀察到這個空間的病灶，看不到另外空間的信息，看不到致病的原因所在。如果他的病比較輕，藥物就可以把病原（西醫講的病毒，氣功講的業）消滅或趕跑了。在病很重的情況下，藥力就解決不了，若加大藥量人也受不了。因為有些病不都侷限在世間法之內，有的病相當大，超出世間法的範圍，因而醫院治不了。

中醫是我國傳統的醫學，和人體修煉特異功能是分不開的。古代很注意人體修煉，儒家、道家、佛家，包括學儒的學生都講打坐。打坐是作為一種功夫，久而久之，雖然沒有煉功，但是可以出功和功能。中醫針灸對人體經絡為甚麼摸索的那樣清楚？穴位與穴位為甚麼不橫著連？不交叉著連？為甚麼是豎著連？怎麼描繪的那樣準確？現代特異功能者，用眼睛看到的和中醫描繪的一樣，原因就是古代的名醫一般都具有特異功能。我國歷史上李時珍、孫思邈、扁鵲、華佗，實際上都是特異功能氣功大師。中醫傳到現在，把功能部份丟掉了，只保留了手法。過去中醫是用眼睛（包括特異功能）看病，後來又總結出號脈的方法。如果用中醫看病的手法再加上特異功能方法，可以說再過很多年外國的西醫也趕不上中國的中醫。

氣功治病是從根本上去掉致病的原因。我認為病就是一種「業」，治病就是幫助消業。有的氣功師治病講排黑氣，排氣補氣，在極淺層次他把黑氣排掉了，可是產生黑氣的根本原因他不知道，這些黑氣又從新來了，病又復發了。實際上不是黑氣造成他有病，黑氣的存在只使他難受。而造成他有病的根本原因是在另外空間當中有一個靈體。好多氣功師不了解這種事。因為那個靈體很厲害，一般動不了，也不敢動它。法輪功看病就是針對那個靈體下手，把生病的根本東西拿掉，而且在有病部位下個罩，不使病再侵蝕進去。

氣功能看病，但不能干擾常人社會狀態。如大面積應用就會干擾常人社會狀態，這是不允許的，效果也不好。大家知道，凡是開設氣功門診的、氣功醫院的、氣功康復中心的，當他沒開設之前治療效果可能不錯，一旦開業看病，其效果就一落千丈，就是不允許用超出常人的法代替常人社會的職能。這樣做了就必然和常人社會的法一樣低。

特異功能透視人體，可以像切片一樣的看，一層一層的看，能看到軟組織及身體的任何部位。現在的「CT」掃描雖然可以看的很清楚，但是，它畢竟是用機器，很費時，用很多片子，很慢、很費錢。不如人的特異功能來的方便、準確。氣功師把眼睛一閉一掃，就能清清楚楚的直接看到病人的任何部位。這不是高科技嗎？這是比現代高科技還要高的高科技。然而，這種水平在中國古代就有了，是古代就有的高科技。華佗看出曹操腦子裏長著瘤子，要給他動手術。曹操接受不了，以為是害他，他把華佗抓起來了，結果曹操還是由於腦瘤而死。歷史上很多大中醫都有特異功能，只是，在現代社會中由於人們過於追求現實的東西，而把古老的傳統給遺忘了。

我們的高層次氣功修煉，就是要從新認識傳統的東西，在實踐中把它繼承發揚下去，從新用於造福人類社會。

六、佛家氣功與佛教

我們一談到佛家氣功，好多人就聯想到一個問題：佛家是修佛的，就想到佛教中的事情。我這裏鄭重的說清楚，法輪功是佛家氣功，是正傳大法，與佛教沒有關係。佛家氣功是佛家氣功，佛教是佛教，雖然修煉的目地是一樣的，但走的不是一條路，不是一個法門，要求也不一樣。我這裏提到一個「佛」字，我在高層次上講功以後還會提到，它本身沒有甚麼迷信色彩。有的人一聽到「佛」簡直不得了，說你在宣傳迷信，不是這樣的。

「佛」本是梵文，從印度傳過來的，叫作「佛陀」（Buddha）音譯兩個字，人們把「陀」省略了，就叫「佛」，翻譯成中國話就是「覺者」，覺悟了的人（見《辭海》）。

（一）佛家氣功

目前傳出的佛家氣功有兩種。一種是從佛教中分離出來的，它在幾千年發展中出現了許多高僧，他們在修煉過程中，修到很高層次時，就有上師傳授他們一些東西，得到了更高層次的真傳。這些東西以往在佛教中都是單傳，當高僧快到百年時才傳給一個弟子，按照佛教理論去修，在整體上提高。這種氣功，看起來與佛教是緊密相連的。後來僧人被趕出寺廟，如「文化大革命」時期，這些功法就流落到民間，也就在民間大量發展了。

另一種也是佛家氣功，這種佛家氣功歷代都沒有進入佛教中去，一直在民間或在深山中靜修。這種功法都有獨到之處，它都要求選擇一個好徒弟，真正具備能往高層次修煉的大德之士。這樣的人多少年才能出世一個。這些功法不能公開，要求心性很高，長功也非常快，這種功法不在少數。道家也一樣，同是道家功，有崑崙派、峨嵋派、武當派等之分。每派之中還有不同法門，每門功法都相差甚遠，都不能混同起來煉。

(二)佛教

佛教是兩千多年前釋迦牟尼在印度原有修煉基礎之上自己證悟的一套修煉東西。概括的講就是「戒、定、慧」三個字。戒是為了定。佛教不講煉功，實際上是在煉功，他定下來往那兒一坐就是煉功。因為人一靜下來一收心，宇宙的能量就往他身上聚集，起到了煉功的作用。佛教的戒，就是要戒掉常人所有的慾望，捨棄常人所有執著的東西，從而達到清靜無為的狀態，就能定下來，在定中不斷提高層次，然後開悟開慧，認識宇宙，看到宇宙真相。

釋迦牟尼開始傳法時一天只做三件事：講法（主要傳的是羅漢法），弟子聽法；然後是捧著缽（碗）去化緣（要飯）；再就是打坐實修。釋迦牟尼不在世後婆羅門教與佛教經過鬥爭之後，這兩種宗教合併為一種印度教，所以現在印度沒有佛教。在以後的發展演變過程中，出現了大乘佛教，流傳到中國內地就是現在的佛教。大乘佛教不是單信釋迦牟尼為祖尊，而是多佛信仰，信仰許多如來，阿彌陀佛和藥師佛等。戒律也多了，修煉目標也高了。當時釋迦牟尼在個別弟子中傳過菩薩法，後來把這些東西整理出來就發展成現在的大乘佛教，修菩薩界。現在東南亞一帶還保留著小乘佛教的傳統，運用神通做法事。在佛教演變過程中，一支傳入我國西藏稱藏密；另一支經新疆傳入漢地稱唐密（會昌年間滅佛後消失了）；再一支就是在印度形成瑜伽功。

在佛教中不講煉功，也不煉氣功，這是為了維護佛教傳統的修煉方法，也是佛教能傳揚兩千多年而不衰敗的重要原因。就因為他不接受外來的東西，才容易保留其自身的傳統。佛教的修法也不完全相同。小乘佛教側重於度己、修自身；大乘佛教已發展到度己度人，普度眾生。

七、正法與邪法

（一）旁門左道

旁門左道亦稱奇門修法。在有宗教之前，各門氣功就已存在。宗教以外的功法有許多在民間流傳，多數沒有成為一套完整的修煉體系，沒有一套完整的理論，而奇門修法有系統完備的特殊強化修煉方法，也在民間承傳。這類功法通常被稱為旁門左道。為甚麼稱旁門左道呢？從字面上看，旁門就是別開一門，左道就是笨拙。人們認為佛、道兩家修煉方法都是正法，其它功法都是旁門左道，或是邪法。其實不是這樣。旁門左道歷代都是密修單傳，不能拿出來示人。一旦傳出，人們都不太理解。他們也自稱其功法是非佛非道。它的修煉方法有嚴格的心性要求，它是按宇宙特性在修煉，講行善，守心性。其中高人都有絕招兒，有些獨特的技能也很厲害。我遇到過三位奇門高人，傳授給我一些東西，在佛、道兩家中都找不到。這些東西在修煉的過程中都比較難，煉出的功也是很獨特的。相反，在現在所傳的一些所謂的佛道兩家功法中，有的缺乏嚴格的心性要求，因而修的不高，所以，對各家功法要辯證的看。

（二）武術氣功

武術氣功是經過久遠歷史年代形成的，有一套完整的理論體系、修煉方法，形成了獨立的體系。但嚴格的說，它也只是內修功法最低層次所出現的功能的體現。武術修煉中所出現的功能，内修功中都出。武術氣功修煉也從練氣開始，比如砍石頭時，開始就要掄胳膊運氣，時間長了氣就發生質的變化，形成能量團，看上去像一種光存在，達到這種成度時，功就會起作用。因為功是高級物質，帶有靈性，它受大腦思維控制，存在於另外空間。擊打時不要運氣，想到時功就來了。隨著修煉，功會不斷加強，顆粒變細，能量變大，出現了「鐵砂掌」、「朱砂掌」的功夫。從影視和雜誌上看到，近年來出現了「金鐘罩」、「鐵布衫」的技能，這是武術與内修同修而形成的，是内外兼修出來的。要内修就要重德，要修心性。從理論上講，他的功夫達到一定成度，它使功從體内發出，發放到體外，因密度大，就形成了防護罩。武術氣功從理論上講和我們内修的最大區別在於武術是在猛烈的運動中煉，没有入靜。不入靜氣走皮下，氣竄肌肉，不入丹田，所以不修命，也不能修命。

(三) 返修與借功

有的人没有煉過氣功，突然一夜之間得了功，能量也不小，還能給人看病，人們也叫他氣功師，他也在教別人；有的乾脆没有學過功法，或者學過幾個動作，自己改一改就教別人。這種人夠不上氣功師，他沒有甚麼可承傳給別人的。他教的東西確實不能往高層次上修煉，頂多是祛病健身。這種功是怎麼來的呢？首先講一下返修。所謂返修是指有些心性極高、非常好的人，往往上了年紀，五十歲往上，叫他從新修煉時間來不及，要碰到性命雙修的高師不容易。當他一想要煉功的時候，上師就在他心性的基礎上給他加了相當大的能量，從上往下反過來修，這就快多了。上師在空中演化，不斷的從體外給他加能量，特別是在他看病、組場的時候，上師給的能量像從管道裏給他輸送一樣，有的他自己還不知道哪來的。這就是返修。

還有一種是借功。借功在年齡上不限。人除了主意識外還有副意識，往往副意識比主意識層次高。有的人副意識層次很高，可以和覺者聯繫上，這種人想煉功時，副意識也想提高層次，馬上和大覺者聯繫借功。借給他功之後，也是一夜之間來了功，得功之後也能給人看病，解除病人的痛苦。他通常採用組場辦法，還可以單獨給人授能量，教給人一些手法。往往有這樣的人，開始是很不錯的，有了功，名聲很大，名利雙收。名利在頭腦中的比例佔了很大一部份，超過了煉功，從此功就往下掉，功就越來越小，最後甚麼也沒有了。

（四）宇宙語

有人突然之間能說出一種語言，這種語言說起來還比較流利，但它不是人類社會的語言。叫甚麼呢？叫宇宙語。所謂宇宙語，它只不過是不太高的那個生命體的一種語言。現在國內練氣功的人有不少出現了這種情況，甚至有的人會說好幾種不同的語言。當然，我們人類社會的語言也是很複雜的，有一千多種。宇宙語算不算功能呢？我說它不能算，它不是自身的一種功能，也不是外面來的給你的一種功能，而是由一種外來生命體操縱的。這個生命體來源層次高一些，最起碼要比我們人類高一些，是它在說話。說宇宙語的人只起個傳話筒的作用。多數人說的話他自己也不知道大概意思是甚麼，只有具備了「他心通」功能的人，他能夠感應到大概意思。因為它不是功能，好多人說了之後，沾沾自喜，還認為了不起，認為是功能。實際上天目層次高的人可以觀察到，在他的斜上方保證有一個生命體在那裏說話，利用說話人的嘴說出來。

它教給他宇宙語，同時把功也傳給他一部份，但是，這個人從此就被控制在它的手裏，這就不是正法。你別看它在稍高層空間，它不是正法修煉的，所以它也不知道如何叫修煉者祛病健身，因而就採用這種方法，通過說話發放能量。因為這個能量是散射的，力量很小，它對一些小病可起一定的作用，大的就不行。佛教中講天上人沒有苦吃，沒有矛盾，不能修煉，得不到魔煉，不能提高層次，所以就想辦法幫助人祛病健身，從而自己得到一點提高。這就是宇宙語。宇宙語不是功能，也不是氣功。

（五）信息附體

信息附體中危害較大的是低靈附體，這都是修練邪法招來的。它對人的傷害非常大，被附體的人後果是很可怕的。有的人練功沒練多少，一心就想給人看病、想發財，老琢磨著這些事。本來這個人很不錯，或者已有師父在管他。可是他一琢磨看病、發財的事可就壞了，他就招來了這個東西，它不在我們物質空間，但它確確實實是存在的。

這個練功人突然覺的天目開了，有功了，其實是附體主宰他的大腦，它看到的圖象反映到他的大腦，覺的自己天目開了，其實根本沒有開。附體為甚麼要給他功呢？為甚麼要幫他呢？因為我們這個宇宙不允許動物修成，動物不講心性，提高不上去，不許它得正法。因此它就想附在人身上，要得人體精華。宇宙還有一個理，叫不失不得。它就滿足你名利要求，叫你發財，叫你出名。但它不會白幫你，它也要得，要得到你的精華。當它離開你的時候，你就甚麼也沒有了，變的很虛弱，或者成了植物人！這是心性不正招來的。一正壓百邪，你的心很正就招不來邪，也就是說，要堂堂正正的做煉功人，甚麼亂七八糟的都不要，就要正法修煉。

（六）正功也能練出邪法

有些人雖然所學的功是正法，但由於不能嚴格的要求自己，不講心性，練功時想些不好的東西，這就不自覺的在練邪法了。比如練站樁功也好，練打坐也好，人在那兒練功，實際上思想在想錢呀，想名利呀，想誰對我不好了我出功能整整他呀；或者想這功能那功能呀等等，把一些不好的東西加進功裏去，實際上是在練邪法了。這是很危險的，就有可能招來一些不好的東西，比如低靈這些東西，也許他招來了他還不知道。因為他執著心太強，抱著有求之心學道是不行的，他心地不正，師父也沒辦法保護他。所以，煉功人一定嚴守心性，心正無所求，否則就可能出問題。

第二章　法輪功

法輪功源出於佛家法輪修煉大法，他是一種佛家氣功修煉的特殊方法，但有其不同於一般佛家修煉方法的獨到之處。本功法過去要求修煉者要有極高心性的大根器之人所學的特殊的強化修煉。為了使更多的煉功人得到提高，同時又滿足於廣大有志於修煉者的要求，特將本功法整理出一套適合普及的修煉方法傳出，即使這樣，他也已經大大超出一般功法所學的東西與層次了。

一、法輪的作用

法輪功的法輪具有同宇宙一樣的特性，他是宇宙的縮影。修煉法輪功者不但可以快速增長功能和功力，而且會在很短的時間裏煉出威力無比的法輪來。法輪形成以後，是以一種有靈性的生命體存在，平時在煉功者的小腹處自動旋轉不停，不斷的從宇宙中採集、演化能量，最後在煉功者本體中轉化為功，從而達到法煉人的效果，也就是說，雖然人沒有時時在煉功，而法輪在不斷的煉人。法輪內用度己，具有強身健體、開智開慧和保護煉功者不出偏差的作用，並且能保護修煉者免受心性差的人侵擾；法輪外用度人，可以給人治病除邪，改變一切不正常狀態。法輪在小腹處不停的旋轉，正（順時針）轉九圈，反（時針）轉九圈。正轉時從宇宙猛烈的吸取能量，能量非常大。隨著功力的增長旋轉的力量越來越大，是人為的捧氣灌頂所達不到的；反轉時發放能量，普度眾生，糾正不正確的狀態，在煉功者附近的人都要受益。在我們國家所有傳出的這些氣功當中，法輪功是唯獨頭一份能達到法煉人的功法。

法輪是最珍貴的，是千金不換的東西。我的師父在傳給我法輪的時候對我說：這個法輪誰也不能傳的，千年修道的人都想得到他可他得不到。我們這個法門經過一個相當相當的久遠的年代才能傳給一個人，和那個幾十年傳一個還不一樣，所以法輪是極其珍貴的。現在，我們雖然把他拿出來演化的沒有原來那麼大的威力了，可是他也是極其珍貴的。修煉者得到他就等於修成一半了，剩下的只要你提高心性，將來就有一個相當高的層次在等著你。當然，沒有緣份的人，將來他自己煉煉就不行了，法輪也就不存在了。

法輪功是佛家功，但他完全超出了佛家的範圍，煉的是整個宇宙。過去佛家修煉就講佛家的理，道家修煉就講道家的理，誰也沒有從根本上把宇宙說透。宇宙同人一樣，除了物質構成以外，還有它的特性存在，概括起來就是三個字，叫作「真、善、忍」。道家修煉主要悟在「真」上，說真話，辦真事，返本歸真，最後達到做真人。佛家修煉重點放在「善」上，生出大慈悲心，普度眾生。我們這個法門是「真、善、忍」同修，直接從宇宙的根本特性上去修煉，最終達到同宇宙的同化。

法輪功是性命雙修功法，在功力和心性上達到一定層次以後，要求在世間就達到開悟（開功）的狀態，修成不壞之體。法輪功大體上分為世間法和出世間法等諸多層次，望廣大有志者勤於修煉，不斷提高心性，達到圓滿。

二、法輪的形態構成

法輪功的法輪是有靈性的旋轉的高能量物質體。法輪是按照整個天體宇宙運行規律在旋轉著，在某種意義上說，法輪是宇宙的縮影。

法輪中間是佛家「卍」字符（『卍』（音萬）在梵文中作Srivatsa，意為『吉祥之所集』（見《辭海》）」，是法輪的核心，其顏色近乎金黃色，底色是非常鮮豔的大紅色。外圈底色是橙黃色。四位太極和四位佛家法輪，他們隔一排一，分布在八個方位上。由紅黑顏色組成的太極是道家的；由紅藍顏色組成的太極是先天大道的。四位小法輪也是金黃色的，法輪的底色會變化，赤橙黃綠青藍紫周期變化，顏色非常漂亮（參看封面圖）。中心「卍」字符和太極顏色不變化。這些大小法輪和「卍」字符都在自轉。法輪的根生在宇宙，宇宙在轉，各個星系在轉，所以法輪也在轉。對於天目層次低的人，能夠看到法輪像風扇一樣旋轉；對於天目層次高的人，能夠看到法輪的全景，那是非常好看、非常鮮豔的，會使煉功人的修煉更加勇猛精進。

三、法輪功的修煉特點

(一) 法煉人

學習法輪功者不但可以快速增長功力與功能，而且可以煉出法輪來。法輪會在很短的時間裏形成，一旦形成，其威力很大，他可以保護煉功者不出偏差，而且能保護本人不受心性差的人侵擾。理論上也完全不同於傳統的修法。因為法輪形成後，會自轉不停，是以一種有靈性的生命體存在，平時在煉功人的小腹處不斷儲備能量。法輪是通過旋轉自動的從宇宙中採集能量。正因為他的自轉不停，從而達到了法煉人的目地，也就是人沒有時時在煉功，而法輪在不停的煉人。人們知道，常人白天要工作，晚間要休息，煉功時間很有限。要想達到二十四小時不停的煉功，只有所謂的時刻想著練功是不行的，或者採取甚麼方法等，都難以達到真正二十四小時都在煉功的目地。然而法輪不斷的旋轉，從宇宙中向內旋進大量的氣（初期能量存在的形式），晝夜不停、時刻不停的把吸進的氣在法輪的各個方位中儲存轉化，把氣變成為更高級的物質，最後在修煉者體上轉化成「功」，這就是法煉人。法輪功的修煉完全不同於各家、各門派丹道氣功的煉功學說。

法輪功修煉的最大特點是修煉法輪，不走丹道。目前傳出來的不管是哪一家哪一門派的功法，佛教道教的各個功派，佛家的、道家的、民間的，許多旁門中的修法，都是走丹道的，叫丹道氣功。和尚、尼姑、老道的修煉都是走了丹道這個路子。百年之後火化的時候，會煉出舍利子。現在科學儀器測不出它是用甚麼物質構成的，非常堅硬、好看。實際上它是另外空間採集來的高能量物質，不是我們這個空間的東西，就是那個丹。丹道氣功想在有生之年達到開悟狀態是非常難的，過去很多煉丹道的人提丹，一到泥丸宮丹就提不出來，人就憋死在這兒了。有的想人為的把它炸掉，可是沒有辦法把它炸開。有的就有這樣的，他的爺爺沒煉成，百年之後吐給他爹；他爹沒煉成，百年之後吐給他。到現在他還是甚麼也不是，很難！當然，有很多功法也是很好的，要得真傳了也不錯，就怕他沒有傳給你那麼高級的東西。

(二)修煉主意識

每個人都有一個主意識，平時做事情、想問題就是靠主意識。一個人除主意識外，還有一個至幾個副意識存在，同時還有家族中祖輩的信息。副意識和主意識叫一樣的名字。副意識一般都比主意識能力強、層次高，他不被我們常人社會所迷，他可以看到他特定的空間。好多功法都走了修煉副意識的路，他的肉身、主意識只起載體作用，這種事情煉功人還往往不知道，甚至還得意洋洋。人生活在社會當中，現實的東西讓他放棄太難了，尤其是他所執著的東西。所以有許多功法強調在定中過，絕對的入定，在定中演化的時候，是他副意識在那個社會中演化，在演化中得到提高。有一天他的副意識修上去了，他帶走了你的功，你的主意識和本體將甚麼都沒有了，你一輩子修煉就前功盡棄了，那是很可惜的。有一些知名的氣功師，各種功能很大，名望很高，可是他的功根本就沒有長在他自己身上，他還不知道。

我們法輪功是直接針對主意識修煉，要求功實實在在的真正的長在你身上，當然副意識也得一份，它在附屬位置跟著提高。我們這個功法就是嚴格要求心性，讓你在常人社會中、在最複雜的條件下去魔煉心性，從中得到提高，出污泥的一朵蓮花，所以就允許你修成。法輪功珍貴就珍貴在這裏，珍貴就珍貴在你自己得功。但是又非常的難，難就難在你走了一條在最複雜環境中去魔煉的路。

煉功的目地既然要修煉主意識，就要時時用主意識支配自己煉功，主意識說了算，而不能交給副意識。否則有一天，副意識修上去了，功也就被帶走了，而作為本體和主意識就甚麼也沒了。你要往高層次上修煉的時侯，你的主意識像睡覺一樣不知道，你煉的甚麼功也不知道，這樣不行。你一定要清楚你在煉功，在往上修，在提高心性，那時你才有主動權，你才能得功。有時你恍惚的時候，那件事情做成了，你也不知怎麼做成的，實際就是副意識在起作用，是副意識在指揮。假如你在那裏打坐，往對面瞬眼一看，對面還有一個我，那就是你的副意識。假如你在那裏打坐，你對著北面，可你突然發現：你在北面呢，你想我怎麼出來了，這是真正的我出來了，坐著的是你的肉身和副意識。這可以區分的開。

修煉法輪功不能完全忘我，忘我不符法輪功的修煉大法，煉功一定要保持大腦清醒。煉功時主意識強一點，不會出偏，一般的東西它還侵害不了你。主意識很弱，有的東西就上來了。

（三）煉功不講方位、時間

許多功法都講究煉功對著甚麼方位好，幾點鐘煉功好。我們這裏全不講。修煉法輪功是按照宇宙特性在煉，按照宇宙演化原理在煉，所以不講方位、時間。我們煉功等於坐在法輪上煉，是全方位的，老是旋轉的，我們的法輪和宇宙是同步的。宇宙在運動，銀河系在運動，九大行星圍繞太陽在轉，地球本身還在自轉，哪裏是東南西北？我們說的東南西北是地球人站在地球角度上劃分的，所以，你站在哪個方位上煉都是站在全方位上煉。

有人講子時煉功好、午時煉功好，或甚麼時間好。我們也不講這個。因為你沒煉功法輪在煉你，法輪時時刻刻在幫你煉功，法煉人。丹道氣功是人去煉丹，法輪功是法煉人。你時間多就多煉，時間少就少煉，這都是很隨便的。

四、性命雙修

修煉法輪功是既修性又修命，是通過煉功先改變本體，本體不丢，主意識與肉體合一，達到整體修成。

（一）改變本體

人的身體是由肉、血和骨骼構成的，有不同的分子結構和成份。通過煉功將身體的分子成份轉化為高能量物質，這樣，人體的構成已經不是原來的物質成份了，而是發生了本質的變化。但是，修煉者是在常人中修煉，生活在人群之中，不能違反人類社會狀態，所以這種變化並不改變他原來的分子結構，分子的排列順序沒有改變，只改變了原來的分子成份。人體的肉還是軟的，骨骼還是硬的，血液還是流動的，割一刀還是要出血的。根據中國古代的五行學説，由金、木、水、火、土構成萬物，人體也是如此。當煉功人發生了本體變化，由高能量物質取代了原來的分子成份，這時人體已不是原來的物質構成。所謂「不在五行中」，就是這個道理。

性命雙修功法最大的特點是延緩人的生命，延緩衰老。我們法輪功就是具有這樣明顯的特點。法輪功是走這樣一條路：從根本上改變人體分子的成份，用採集的高能量物質貯存在每一個細胞中，最後由高能量物質代替細胞成份，就不産生新陳代謝了，他走出了五行，成為另外空間的物質構成的身體，不受我們空間時間的制約，這個人就會青春長駐。

歷代高僧壽命很長，現在有幾百歲的人在大街上走你看不出他，他長的很年輕，穿的和常人一樣，你就認不出來。人的壽命不該是現在這麼短。從現在科學角度講，人可以活到二百多歲。據記載，英國有個叫費姆卡思的人活了二百零七歲。日本有個叫滿平的人活了二百四十二歲。我國唐朝有個和尚惠昭，活了二百九十歲。福建永泰縣縣誌記載，唐朝僖宗中和元年（公元八八一年）出生的陳俊，死於元朝泰定年間（公元一三二四年），活了四百四十三歲。這都是有據可查的，不是甚麼天方夜譚。我們法輪功學員通過修煉，臉上的皺紋明顯減少，紅光滿面，身體非常輕鬆，走路、幹活不覺的累，這是普遍現象。我自己修煉幾十年，別人都說我的面容同二十年前沒大的變化，就是這個原因。我們法輪功帶有強烈的修命的東西，法輪功修煉者從年齡上看和常人差異很大，看上去與實際年齡不符，所以，性命雙修功法的最大特點是能延緩人的生命、延緩人的衰老，延長人的壽命。

（二）法輪周天

我們人體是個小宇宙，人體能量圍繞身體轉一圈，就叫小宇宙循環，也叫周天循環。任、督二脈接起來，從層次上講，這還是皮毛周天，起不到修命的作用。真正的小周天是從泥丸宮到丹田，在裏邊循環。通過裏邊循環會帶動身體由裏向外擴展，百脈皆通。我們法輪功一上來就要求百脈皆通。

大周天就是奇經八脈的運轉，整個身體走一遍。如果大周天通了，會帶來一個狀態：這個煉功人可以飄起來，丹經上寫的「白日飛升」就是這個意思。但是，通常會把你身體的某個部位鎖住，使你飄飛不起來，可它會給你帶來一個狀態：走路非常輕快，上山像有人推你。大周天通了以後還會帶來一種功能：可以使人體內臟各部位的氣互換：心上的氣跑到胃上去；胃上的氣跑到腸子上去，……隨著功力的加強，打到體外來就是搬運功。這種周天也叫子午周天或乾坤周天。它的運轉還不能達到演化身體的目地，還得有一種與它對映的周天存在，它叫卯酉周天。卯酉周天的運轉是這樣的：從會陰或從百會打出來，開始走身體的陰陽兩面的交界處，即走身體的側面。

法輪功的周天運轉比一般功法中所講的奇經八脈運轉要大的多，它是整個身體縱橫交錯氣脈都在運行，要求整體上一下子全部通遍通透，全部都運轉起來。我們法輪功中都自帶這些東西，不需要你人為的去煉，也不用意念去引導，你要這麼做了你就走偏了。我在傳授班上給你體外下上氣機，它自動循環。氣機是一種在高層次上煉功所特有的東西，是形成我們自動煉功的一部份，它和法輪一樣常轉不停，帶動著身體裏面的氣脈運轉。你沒煉過周天，實際上那氣脈已經被帶著一起運轉了，縱深內外一起運轉，我們通過手法是為了加強體外氣機。

（三）通脈

通脈的目地是使能量運轉，改變細胞分子成份，向高能量物質轉化。不煉功的人脈是淤塞甚至很細，煉功人的脈會漸漸亮起來，不通的地方會通。煉功有素的人的脈會加寬，到高層次修煉脈會更寬，有的人脈像手指頭一樣寬。但通脈本身代表不了修到甚麼成度，功有多高。通過煉功使脈加亮加寬，最後百脈連成一片，到那時這個人沒有脈也沒有穴，反過來講，周身都是脈也都是穴。這時它還不能夠說明這個人已經得道了，它也只是法輪功修煉過程中的一種體現，一個層次的體現。到了這一步的時候，在世間法修煉中已經走到盡頭了，同時在外觀上帶來一個很明顯的狀態：三花聚頂。那個功出的已經很厲害了，都是有形狀的，功柱也很高了，而且頭上出現三朵花，一朵像蓮花，一朵像菊花。三朵花會自轉，自轉的同時會輪番的轉。每一朵花上有一根柱子，通天的柱子，非常的高。這三根柱子也隨著那花輪番的在轉，也在自轉，他自己感到頭很沉。這時，他只是在世間法修煉中走完了最後一步。

五、意念

法輪功修煉不帶意念。意念本身甚麼都做不了，但是他可以發出指令。真正起作用的是功能，它帶有靈體思維能力，接受大腦信息指揮。但好多人特別是在氣功界説法很多，認為意念能做很多事情。有人講意念開功能，意念開天目，意念治病，意念搬運等，這是一種錯誤的認識。在低層次，在常人中意念指揮著感官和四肢。在高層次，在煉功人中意念可以昇華，指揮功能做事情，也就是功能受意念所支配。這是我們對意念的看法。有時看到氣功師給人治病，沒動手病人就説好了，以為是意念治好的，實際上是他打出一種功能，指揮功能去治病或幹甚麼事情，因為功能在另外空間走，常人眼睛看不見，不知道的以為是意念做的。有的人以為可以用意念治病，把人都領偏了，這個看法必須澄清。

人的思維是一種信息，是一種能量，是物質存在的一種形式。人在想問題思維的時候，大腦裏產生一種頻率。有時念咒語很有效，為甚麼呢？因為宇宙也有它的振動頻率，當你所念的咒語和宇宙的頻率發生共振時就可以產生效應。當然必須是良性的信息才可能起作用，因為宇宙中是不允許邪的東西存在。意念也是一種特定的思維方式，高層次大氣功師的法身就由主體思維控制和指揮。法身也有他自己的思維，有他獨立處理問題和辦事的能力，他完全是一個獨立的自我。同時，法身能知道氣功師的主體思維，按照主體思維去做事情。比如氣功師想給一個人治病，他就去了；沒有這個意念發出的時候，他是不去的。當他看到很好很好的事情時他會主動去做。有的大師還沒有達到開悟的成度，有些事情他還不知道，而他的法身卻知道了。

意念還有另外涵義叫作靈感。靈感不是發自人的主意識。主意識的知識面是很有限的，要想搞出社會上沒有的東西，只靠主意識不行。靈感來自副意識。有的人搞創作、搞科研，絞盡腦汁兒也搞不出來時，先放下休息，到外邊轉一圈。突然間，無意之中靈感來了，馬上奮筆疾書，創造出東西來了。這是因為主意識很強時，控制著大腦，憋不出來。當主意識一放鬆時，副意識起作用了，它主宰大腦。副意識是另一個空間的，不受這個空間束縛，可以創造出新東西。但副意識也不能超越、干擾常人社會的狀態，影響社會發展的進程。

靈感來自兩個方面，一個是副意識提供的，副意識不被世間所迷，他可以產生靈感。另一個來自高層次高靈的指揮、指點。有高靈指點的時候，思路開闊，能夠做出別開生面的事情。整個社會和宇宙發展都有它特定的規律，一切都不是偶然的。

六、法輪功的修煉層次

(一) 高層次修煉

法輪功是站在很高的層次上修煉，所以出功特別快。大道至簡至易。從宏觀上看法輪功動作很少，但它控制著身體的各個方面，控制著要出的很多東西。只要心性跟的上，功就騰騰的往上長，不需要人為的費多大勁，採用甚麼辦法，或者安鼎設爐、採藥煉丹，添多少火，採多少藥了。靠意念引導很複雜，很容易出偏。我們這裏給大家提供最方便法門，最好一個法門，也是最難的一個法門。煉功人身體達到奶白體狀態，在別的功法中要煉十幾年、幾十年或者更長的時間，而我們一下子就給你帶到這一步。當你還沒體會到時，這個層次就過去了，也可能只有幾個小時。有那麼一天，你感覺到很靈敏，過一會兒又不靈敏了，實際上就是一個大層次過去了。

(二) 功的表現形式

法輪功學員的身體經過調理就已經達到一種適合於大法修煉狀態，這就是「奶白體」狀態。只有調整到這個狀態才能出功。天目層次高的人會看到，功就出在煉功人的表皮上，然後卸進到煉功人的身體裏；然後再出、再進，這樣反復進行，一個層次一個層次的走，有時候走的很快。這是第一遍功。第一遍功出過後，煉功人的身體不是一般的身體了，達到奶白體後，從此再不會得病。以後出現的這兒痛、那兒痛，或者某個部位難受，像有病的樣子，但這不是病，是業力在起作用。等出第二遍功的時候，那個靈體就很大了，他會動、會說話。有時出的稀稀拉拉的，有時出的很密，他們相互之間還會說話。這個靈體裏面就儲存著大量的能量，它是用來改變本體的。

法輪功修煉到很高的成度，有時出現嬰孩，滿身都是，他們很淘氣，貪玩，很善良。還能夠煉出另一種身體，那就是元嬰。他坐在蓮花台上，非常漂亮。煉功出的元嬰就是由人體的陰陽合和而成，男女修煉者都可以煉出元嬰。元嬰開始時很小，逐漸長大，最後長的和煉功人一般大，長的一模一樣，就在他的身體裏。有特異功能的人看他，說他有兩個身體，實際上就是他的真身修成了。另外，還會修出許多法身來。總之，宇宙中能出的功能法輪功裏都有；其它功法裏能出的功能法輪功裏也都有。

（三）出世間法修煉

煉功人通過煉功使脈加寬，不斷的加寬，使脈連成一片，也就是煉到沒有脈、沒有穴；反過來講，周身都是脈、都是穴。這還不能說明你已經得道了，它也只是法輪功修煉過程中的一種體現，一個層次的體現。到了這一步的時候，在世間法修煉中已經走到盡頭了，那個功出的已經很厲害了，都是有形狀的，功柱也很高了，而且頭上出現三朵花。這時，他只是在世間法中走完了最後一步。

再往前邁一步的時候，就甚麽都沒有了，把功全部卸進到身體裏最深的空間裏了，他就變成淨白體狀態了，這個人身體是透明的了。再走一步，進入出世間法修煉，也叫佛體修煉。再出的功屬於神通之類的。那個時候，他的威力無窮，非常大，到更高境界的時候要修成大覺者了。這就看你如何修煉心性，修煉到哪一層，果位就到哪一層。大志者得正法，成正果，是為圓滿。

第三章　修煉心性

法輪功修煉者都必須把心性修煉放在首位，認定心性是長功的關鍵，這是煉功到高層次的理。嚴格的說，決定層次的功力不是煉出來的，而是靠心性修出來的。提高心性說起來容易，做起來很難很難的。修煉者要有極大的付出，要提高悟性，要能吃苦中之苦，要能忍難忍之事，等等。為甚麼有些人煉功多年而不長功？其根本原因：一是不講心性；二是不得高層次正法。這個問題必須點破。很多師父教功都講心性，這是真教功；那些只教動作、手法而不講心性的，實際上等於教邪法。因此，煉功人必須在提高心性上下一番大功夫，才能進入更高層次的修煉。

一、心性的內涵

法輪功所講的心性，不是「德」所能容貫得了的，它比「德」包括的範圍要寬廣的多，它包括「德」在內的方方面面的內容。一個人的心性在「德」上僅僅是一種體現，單純的用「德」來理解心性的內涵是不夠的。心性包括如何對待「得」與「棄」兩個方面的問題。「得」就是要得到同宇宙特性的同化。構成宇宙所特有的性質是「真、善、忍」，一個煉功人與宇宙特性的同化就體現在個人的「德」上。「棄」就是要放棄那些貪、利、色、慾、殺、打、盜、搶、奸詐、妒嫉等等不良的思想和行為。如果往高層次上修煉，還要放棄人所有固有的對慾望的追求，也就是要放棄一切執著之心，就是要把個人的一切名、利看的很輕、很淡。

人由肉體和秉性構成了完整的人。宇宙也一樣，除了物質性以外，還同時存在著「真、善、忍」的特性。每個空氣微粒中都有這種特性存在。體現在常人社會中，做好事得到洪揚，做壞事得到懲罰。在高層次就體現出功能態來。適應這種特性的就是好人，背離他的就是壞人，符合於他、同化於他的就是得道者。這樣就要求煉功人必須有極高的心性來同化於這個特性，這才能往高層次上修煉。

做一個好人容易些，然而要修煉心性就不那麼容易了。修煉者要有精神準備，欲正其心，先誠其意。人們生活在世界上，社會是複雜的，你要行善，可也有人不叫你行善；你不侵害別人，可別人會由種種原因來傷害你。在這裏有些是出於非自然原因的，你能不能悟到為甚麼？你應該怎麼辦？世間的一切是是非非，無時不在檢測著你的心性。在面對無名的屈辱中，在你的切身利益受到損害時，在金錢面前，在女色面前，在權力的角鬥中，在勾心鬥角的嫉恨中，在種種的社會糾紛、家庭矛盾和有形無形的痛苦裏，你都能時時的用嚴格的心性要求來把握自己嗎？當然，如果你甚麼都能做到，你已經就是覺者了。煉功人大都畢竟是從常人開始的，心性的修煉也是一點一點提高的。有志於修煉者要有吃大苦和應付大困難的決心，最終會得正果的。望廣大修煉者，嚴守心性，早日提高功力！

二、失與得

在氣功界、宗教界都講失與得。有些人認為失就是施捨，做點好事，誰困難了幫一把；得就是得功了。廟裏的和尚也這麼說，要施捨。這就把失看的太狹隘了。而我們所說的失是廣義的，是個很大的東西。我們要求失去的是常人的那顆心，是那顆執著不放的心，要能夠失去你認為重要的東西，能夠失去你認為不能拋棄的東西，這是真失。幫助人做點好事，表示些慈悲之心，這僅僅是失的一部份。

作為常人想出點名，得點利，想生活過的好一點，舒服一點，錢多一點，這是常人的目標。而我們煉功人就不一樣了，我們得的是功，就不是這些東西。我們要把個人利益失一失，看的淡一點，但又不是讓你真的失去甚麼東西。我們是在常人社會中修煉，還得保持和常人一樣，關鍵是你要把那顆心放下，不是要你真的失去甚麼東西。是你的東西不會丟，不是你的東西也弄不來，弄來了也得還給人家，有所得必有所失。當然，一下子都做的很高也不可能，一夜之間就成為覺者也是做不到的。但是，一點點的修，一步步的提高是可以辦的到的，你能失去多少就會得到多少。在利益關係上你總是看的淡淡的，寧可少得而安逸。在物質上你可能吃虧，而在德上你會多得，在功上你會多得，這是道理所在，而不是要你有意去以名譽利祿做交換，這要用悟性去進一步體會。

有位修大道的人曾說，別人想要的東西我不想要，別人有的東西我沒有；但我有的東西別人沒有，別人不要的東西我要。作為一個常人很難有滿足的時候，甚麼都想要，唯獨地下的石頭他不揀。而這位修道的人說那我就揀這石頭。俗話說物以稀為貴，以少為奇，石頭在這邊不值錢，到了那邊就最值錢。這裏說出了一個常人說不出的哲理。不少修成的大德高人，他們都是一無所有，對於他們，沒有個人不能放棄的東西。

煉功這條道路是最對的，煉功人才是最聰明的。常人要爭的那東西，要得的那一點好處是一時的，即使爭來了，揀來了，或者得到了一點好處又能怎樣？常人有句話：生帶不來，死帶不去；來時一身光，走時一身光，連骨頭都要燒成灰。不管你腰纏萬貫、高官顯赫，你甚麼也帶不去，但功可以帶走，因為它就長在你主意識身上。我告訴你說，功是來之不易的，它太珍貴太難得了，是千金不換的。當你的功很高的時候，如果有一天你說不願意煉功了，只要你不做壞事，那時你的功會轉化為你所要的一切物質東西，都可以得到。但是，除世間你所得到的以外，修煉人得到的東西你不會再有了。

有些人為了某種個人利益，把本來不屬於自己的東西，通過不正當手段得來，他以為佔了便宜，事實上他所得來的利益是用德和人家交換來的，只是他不知道而已。對於煉功人要從功上減；對於不煉功的人要從壽命上減，或從其它方面減。總之，這筆賬總是要算的，這是天理所在。還有人總欺負人、惡語傷人，等等，隨著這些行為的發生，他就把相應的一份德拋給了對方，以德交換了對人家的欺辱。

有些人認為，做好人吃虧。在常人看來他是吃虧了，而他卻得到了常人無法得到的東西，那就是「德」——白色物質，它是極其珍貴的東西。沒有德就沒有功，那是絕對的真理。好多人為甚麼煉功不長功？就是沒有把德修上去。好些人都在講德，都在要求德，而沒有把德真正轉化為功的道理給講出來，靠個人去悟。大藏經寫了上萬卷，釋迦牟尼在世時講了四十多年的法，都是講一個德；中國古代修道的書都是談的一個德；老子寫那五千言《道德經》也講的是一個德，可是有人就是不悟。

我們講失，有得就有失，你真正想修煉了，就會遇到一些魔難。體現在生活中，一是身體上遭點罪，這不舒服那不舒服，但不是病。再則就是表現在社會、家庭、單位都可能出現，突然為利益發生矛盾，感情之間出現摩擦，目地是讓你提高心性。這些事往往來的很突然，看上去非常猛烈。如果你遇到了一件很麻煩的事，搞的你很狼狽，很丟臉，面子上很過不去，那時你怎樣對待？你很坦然，能做到這一點，你那心性在這一難中就提高，你那功也相應的長了那麼高。你能做到一點點，你就能得到一點點；你付出多少，你就能得到多少。人在難中往往不一定悟的出來，但我們要悟，不能混同於常人，產生矛盾時要高姿態。我們在常人中修煉，魔煉心性也得在常人中魔煉，得摔幾個跟頭，從中得到教訓。要想甚麼麻煩也別遇到，就能舒舒服服的長功，那是不可能的。

三、「真、善、忍」同修

我們這個法門是「真、善、忍」同修。「真」，就是說真話，做真事，返本歸真，最後做真人。「善」，就是生出慈悲心，行善度人。尤其強調能忍，只有忍，才能修出大德之士來。忍，它是個很強的東西，是超過了真和善的。整個修煉過程都得叫你去忍，守住心性，不可妄為。

遇事能忍不容易。有人說：打不還手，罵不還口，甚至在親朋好友之中很丟面子的情況下都忍下去，這不成「阿Q」了嗎？！我說你方方面面表現都很正常，智力一點不比別人低下，唯獨在個人利益方面看的很淡，誰也不會說你傻。能忍不是懦弱，不是「阿Q」，是意志堅強的表現，是有涵養的表現。中國歷史上的韓信，曾經胯下受辱，就是大忍。古代有句話叫：「匹夫見辱，拔劍而起」。一個常人當他受到污辱時，他會拔劍而起，他會張口罵人，出拳打人。人來一世不容易，有的人就為一口氣活著，太不值得，也太累。中國有句話叫作：「後退一步，海闊天空。」當你遇到麻煩事後退一步的時候，你會發現是另一番景象。

作為煉功人，對於和你發生矛盾的人，對於當面羞辱你的人，你不但要忍，要高姿態，而且要感謝他。如果沒有他和你發生矛盾，你怎麼能夠提高心性，怎麼會在遭受痛苦時把黑色物質轉化為白色物質，怎麼長功？人在劫難之中是很難過的，但這時一定要克制住，因為隨著功力增長的時候，那劫難是不斷增加的，就看你心性能不能提高上去。開始時也許惹你生氣，氣的你夠嗆，憋的你很難受，氣的你肝痛、胃痛的，可是你沒有發作，你忍了，這就好，你開始忍了，一種有意的去忍了。你會慢慢不斷的提高心性，你會真正把那事情看淡，那時就是更大的提高。常人把一些摩擦、一點事情看的很大，活著就為一口氣，不能忍，逼急了甚麼事都敢幹。但是作為煉功人，別人看的很大的東西，你看的就很小、很小，太小了。因為你那目標太長遠了，太遠大了，你將要和宇宙同齡。你再想想那東西，可有可無的，你往大了想想，那些東西都能過的去。

四、去掉嫉妒心

嫉妒心是煉功的極大障礙，對煉功人的影響非常大，會直接影響煉功人的功力，會傷害同道人，嚴重的干擾我們往上修煉。作為煉功人是百分之百的要去掉的。有人煉功到了一定的層次，可是嫉妒心就是去不掉，而且越是去不掉就越容易增強。這種反作用使的他已經提高的其它心性也變的非常脆弱。嫉妒心為甚麼單拿出來講？因為嫉妒心在中國人中體現最強烈，最突出，在人們心目中比重最大，但好多人意識不到。嫉妒心是東方特有的，叫東方嫉妒或叫亞洲嫉妒。中國人很內向，很含蓄，不輕易表露出來，這就容易產生嫉妒心。事物都是一分為二的，內向性格有好的一面，也有不好的一面。西方人比較外向，你比如說，小孩要是在學校得了一百分，他會高高興興的一邊往家裏跑一邊喊：「我得了一百分啦，……」鄰居們都會打開門、打開窗户向他祝賀：「湯姆，祝賀你！」替他高興。要是在中國你想一想，一聽就反感：得一百分有甚麼可「膩瑟」的呀，有甚麼可顯的！反應就截然不同，有一種嫉妒心理。

有嫉妒心的人看不起別人，不允許別人超過自己，看到別人比他強他心裏就失去平衡，受不了，不服氣。長工資一起長，拿獎金要一樣多，天塌大家一起頂。看別人多掙了錢他就得紅眼病，反正超過他簡直就不行。有人搞出科研成果不敢去領獎金，怕別人嫉妒；有人評上甚麼榮譽稱號也不敢吱聲，怕嫉妒諷刺。看到其他氣功師講課就不服氣，去攪場，這就是心性問題。大家同在一塊兒煉功，有的人煉功時間短，但出了功能。於是，有人就說：他有甚麼了不起的，我煉了多少年了，結業證就一大摞，我還沒出功能他怎麼能出呢？嫉妒心就上來了。煉功是向內找，自己多修煉自己，從自己身上找原因。自己哪方面做的不足，自己得爭取提高，向內使勁。人都向外使勁，別人都修好了，都上去了，就你没上去，你不是白搭嗎？修煉得自己修嘛！

嫉妒心還會傷害同道人，比如說些不好聽的話使人的心無法入靜；當他有了一定功能，出於嫉妒可能用功能傷害同道人。例如有一個修煉很不錯的人在打坐煉功，因為他身上有功，坐在那裏像一座山一樣。這時飄過來兩個東西，有一個過去是個和尚，因為有嫉妒心没有修上去，雖有一定功力，但未修成。當他們來到打坐人這裏時，一個說：這是某某在這兒修煉，我們繞道而行吧！另一個則說：想當年我一掌劈掉泰山一個角。接著就向煉功人劈一掌。但是，舉起手來就放不下了。因為煉功人是正法修煉，有防護罩，他劈不動。他想傷害正法修煉的人，問題就嚴重了，遭到了懲罰。有嫉妒心的人既害己又害人。

五、去掉執著心

執著心是指煉功人對某事物、某一目標堅持不放，有過份的追求，不能超脫，甚至非常固執，不聽勸告。有的人追求在世間得到一些功能，這必然會影響往高層次上修煉，這個心理越強烈，越不容易放棄，心理就越不平衡不穩定，到後來就會以為自己甚麼都沒有得到，甚至對所學的東西持懷疑態度了。執著心產生於人的慾望，其特點是目標或者目地帶有明顯的侷限性，比較明確、具體，其本人還往往認識不到。常人的執著心是很多的，他為了追求一個東西並達到目地，他可以不擇手段的弄到手。作為煉功人的執著心則是另一番表現。比如追求某種功能，沉迷於某種景象，熱衷於某種表現等等。作為煉功人，不管你求啥都是不對的，這個東西要去掉。道家講無，佛家講空，入空門，我們最終要達到空無，要去掉一切執著心，把你所放不下的東西都得放下。比如，對功能的追求，你求就是要用，實際上它和我們宇宙特性相反了，實際上還是個心性問題。想得嘛，就想在人前賣弄一下，或顯示顯示。那東西不是顯示給別人看的。若你用的目地很純，就是要幹好事，那好事你做起來也不一定是好事，常人的事你用超常的辦法去管就不一定是好事。有的人聽我在傳授班上講有百分之七十的人天目都開了，於是就琢磨：我怎麼沒感覺呢？回去煉功時注意力就集中在天目上，想的頭痛，結果還是甚麼也看不見，這就是執著心。每個人身體素質不同，根基也不一樣，天目不可能同時看到，也不可能都有同樣的層次。有人能看到了，有人没看到，都是正常的。

執著心能夠使煉功人的功力出現停滯、徘徊的狀況，嚴重的還可以導致煉功人走向邪路。特別是有些功能，心性不好是可以用來幹壞事的。由於心性不牢靠用功能幹壞事的例子也是有的。某地一個男大學生出了一種思維控制功能，這個功能可以用他的思維去支配別人的思想行為，他就用它幹壞事。有的人在煉功時出現了一些景象，總想看個明白，弄個究竟，這也是執著心。有的人有某種嗜好成了癮，難以放棄，也是執著心。由於根基不一樣，目地不一樣，有的人煉功是為達到最高境界；有的人就是為了得到一些東西。後一種思想必然會使煉功的目地出現侷限性。這樣的執著心不消除，就是煉功也不會長功。所以，煉功人要把一切物質利益都看的很淡很淡，沒有任何追求，一切順其自然，這樣就會避免執著心出現，這就要看煉功人的心性如何了。心性不從根本上提高，帶有任何執著心都是修不成的。

六、業力

(一) 業力的產生

業力是一種與德相反的黑色物質。佛教中管它叫惡業；我們這裏叫業力。所以做壞事就稱造業。業或者業力是由於本人今世或前世的過錯而產生的，比如殺過生，欺負過誰，爭奪過誰的利益，背後議論過誰，對誰不友好等等，都會產生業力。還有的業力是祖輩或者親朋好友轉移過來的。當一個人出拳打人時，同時把白色物質甩給了對方，自己身上的那塊地方就被黑色物質代替。殺生是最大的做惡，做壞事，會增加很重的業力。業力是導致人得病的重要原因，當然它不一定反映出來是一種病，也可能遇到點麻煩事等等，都是業力在起作用。所以煉功人決不能做不好的事情，一切不好的行為都要産生不好的信息，會嚴重的影響到你的煉功問題。

有些人主張採植物氣，教功時也教怎麼採植物氣。甚麼樹的氣好，甚麼樹的氣是甚麼顏色，講的津津樂道。在我們東北一個公園裏，有些人不知道練的甚麼功，滿地打滚，爬起來就繞松樹轉，採松樹的氣，半年時間就把一片松樹採的枯黃了，這是造業行為，這也是殺生！無論是從綠化祖國維護生態平衡方面講還是從高層次上講，採植物氣都是不好的。浩瀚宇宙無邊無際，處處有氣任你去採，你儘管去採好了，為甚麼偏偏欺負植物呢？作為煉功人你的慈悲心哪裏去了呢？

萬物皆有靈。現代科學已認識到植物不僅有生命，而且有靈性、有思維和感情，甚至有超感功能。當你的天目達到法眼通的時候，你會發現世界是另一番景象，你一出門，那個石頭、牆、樹等都會和你說話。任何物體都有生命體存在，當它在形成的時候，已經有一個生命體注入了。有機物質和無機物質是我們地球上人類劃分的。廟裏的人把碗打了他心裏都過不去，因為一旦它被破壞掉的時候，那個生命體要釋放出來，它沒有完成它的生命里程，就無處可去。所以就非常恨殺它的人，越恨那人的業力越大。有的「氣功師」還打獵，他的慈悲心哪兒去了？佛道兩家都不違背天理行事。他這樣做就是殺生行為。

有人講他過去造了很多的業，殺雞、殺魚、釣魚等等，是不是不能煉功了？不是的。你那時是在無知時做的，它不會造成更大的業力，今後再不要做這事就是了。再做就是明知故犯，就不行了。有的學員就存在著這種業力。你來參加傳授班就有緣份，你就能往上修煉。蒼蠅蚊子進屋裏打不打？大家現在這層次上做這事，打死了也不算錯。轟不出去打死也就打死了。一個東西該死的時候，它自然的就該死了。釋迦牟尼在世時，有一次他要洗澡，叫弟子去打掃浴缸。弟子發現浴缸裏有蟲子，回去問他怎麼辦？他又說一遍：我要你打掃的是浴缸。弟子領悟了，把浴缸打掃乾淨了。有些問題你不要把它看的太重，我們不是讓你做一個謹小慎微的人。在複雜環境中，時時刻刻精神弦繃的很緊，生怕做錯一點事，我說這不行，這就是一種執著了，怕的本身就是執著。

我們要有一顆慈悲心，對待任何事情抱著一顆慈善的心，就不容易出問題了。對個人利益淡化一點，心地善良一點，你做甚麼事都會受到它的制約，所以你就不能做出壞事情來。不信你看看，你總是抱著氣呼呼的態度，總想爭一爭，鬥一鬥，那好事在你面前也會做壞了。我經常看到有些人得理不讓人，當他抓住理的時候，他可抓住治人的東西了。同時我們也不能因為一件事情看不慣，就撥弄是非，有時你看不慣的事情不一定是錯的。作為煉功人不斷提高層次的時候，你說出一句話是帶有能量的，你要制約常人的，可不能亂說。特別是當你看不到問題真相的時候，看不到因緣關係的時候，就容易幹壞事，就容易造業。

(二) 消業

世間的理和天上的理一樣，欠人家的東西是要還的，就是常人欠人家的也得還。人生一世，你所遇到的難、劫都是業力產生的後果，你要還那些東西。我們真正修煉的人，你那人生的道路將會改變，要給你從新安排一種適合你修煉的道路，你那業力由師父給你往下減一部份，剩下的就都是為給你提高心性用的，你自己通過煉功和修煉心性把它抵換掉，償還掉。今後你們遇到的問題都不是偶然的，請你們要有這個思想準備。讓你過些難呀，常人放不下的東西全讓你放下。你會遇到許多麻煩事，問題會從家庭、社會方方面面產生出來；或者突然遇到甚麼災難了；甚至本來是對方不好，可偏偏責怪、冤枉到你身上了，等等。煉功人是不該得病的，可往往也突然得了一場大病，病的來勢又很重，折磨的很難受，到醫院檢查又查不出病來，但不知何故病又不治而好了，實際上就是你所欠的某種債通過這種形式還了。也許有一天，你愛人無緣無故的跟你鬧事，發脾氣，微不足道的事情也可能引起大的爭執，過後也覺的莫名其妙。作為煉功人你應該清楚為甚麼會產生那事情，就是那東西來了，要你還那個業。這時你要把握住自己，守住心性把事情化開，珍惜和感謝他幫你消業。

打坐時間長了就要腿痛，有的痛的死去活來。天目層次高的人看到，在很痛的時候，從煉功人身體內外有很大一塊黑東西在往下消。打坐的痛是陣痛而且很鑽心，有的人有悟性，就是不把腿拿下來，黑的消去就向白的轉化，轉化為功。煉功人的業力不可能通過打坐和煉功完全消除，還要提高心性與悟性，經受些魔難。重要的是我們做人要善良，我們法輪功善心出的很早，好多人煉功往那兒一坐，無名的流淚，想甚麼都心酸，看誰都苦，就是生出慈悲心來了，你的天性、真正的自我和宇宙特性「真、善、忍」開始溝通了。當你善心出來的時候，你做事就很善了。從你內心到外在表現，一看就很善良，那時誰也不會欺負你了。那時候有人真的欺負你，你那大慈悲心起作用，你不會還手，它是一種力量，它也促使你不會和常人一樣。

當你遇到劫難的時候，那慈悲心會幫助你度過難關，同時我的法身看護著你，保護你的生命，但難必須讓你過。例如我在太原辦班時有一對老倆口來參加我的班急於過馬路，走在馬路中間時，來了一輛小汽車，開的飛快，一下子就把老太太掛倒了，掛出去十多米遠，摔在馬路上。小車跑出去二十多米才停下來。司機跳下車來說一些不好聽的話；車裏坐著的人也說些不大好聽的話。老太太甚麼也沒說，這時想起我講的話了，站起來之後，老太太說：沒事，沒事，哪也沒壞，她就拉著老頭一塊兒的進了禮堂。那時她要說一句，哎呀！我這兒壞了，那兒壞了，你帶我上醫院吧。那可真就壞了，她沒有這麼做。老太太跟我說：老師呀，我知道是怎麼回事，這是幫我消業呢！消了一個大難，消了一塊大業。可想她心性、悟性很好，那麼大歲數，車速那麼快，掛出去那麼遠，狠狠的摔在地上，起來了，心很正。

有時候劫難來時，看起來非常大，簡直是怎麼想怎麼沒路。也許轉了好幾天，突然來路了，突然間事情發生了大轉變，實際上是我們心性提高了，那東西自然就消了。

要提高思想境界就必須要通過世間各種魔難的考驗，在這個過程中你心性真的上去了，穩定了，業也消了，你的魔難也就過去了，功也長了。如果在心性考驗機會中，沒有守住心性，做了錯事，這時你不要灰心，要積極的總結教訓，找差距，在「真、善、忍」上下功夫。下一個檢驗心性的難題可能又要接踵而來。隨著功力的提高，考驗心性的魔難可能來的更猛烈、更突然。你每過一關功力將上長一點；關過不去功就停滯。小考驗小增長；大考驗大增長。望每個煉功人要準備吃大苦，要有迎接大困難的決心和毅力。沒有付出就得不到真功。想舒舒服服的不付出，不吃苦就得功，是沒有這個道理的。心性不根本改好，帶著任何個人執著之心是修不成大覺者的。

七、招魔

招魔是指煉功人在煉功過程中出現的影響煉功的現象或景象，目地是阻止煉功人往高層次上修煉，也可以說是魔來討債。

功法修煉到高層次，必然會遇到招魔問題。一個人的一生和祖輩不可避免的會做過一些不好的事，這些不好的事就叫作業力。一個人的根基好不好，就決定他帶的業力多少，就是一個很好的人，也不可能沒有業力。因為你不修煉，所以你體會不到。如果你只為祛病健身，就沒有魔去管你，一旦你往高層次上修煉，它就要管你了。它可以用各種方法來打擾你，目地是不讓你往高層次上修煉，讓你修煉不成。魔的出現方式有多種，有的是以我們日常生活中的現象出現；有的是以另外空間來的信息形式進行干擾，使的你一坐下來就有某種事來打擾，讓你無法入靜，沒法往高層次上修；有時你一打坐就昏昏欲睡或浮想聯翩，無法進入煉功態；有時你一煉功，本來很安靜的環境，突然來了腳步聲、摔門聲、汽車鳴響、電話干擾、各種吵鬧，使你靜不下來。

還有一種是色魔，煉功人在打坐或夢中，他的面前會出現美男子或美女子，吸引你勾引你，做一些對你刺激性的動作，引誘你的貪戀美色之心。只要你一次過不去，它會逐步升級，引誘你，直到你放棄往高層次上修的想法為止。這一關是很難過的，不少煉功人由此而夭折。希望你們要有精神準備，如果有的人心性守的不夠，一次過不去就要認真總結教訓，它會多次來騷擾你，直到你真正守住了心性，完全去掉了那種執著心為止。這是一大關，必須得過去，否則就不能得道，不能修成。

另一種魔的形式是在煉功或睡夢中，突然看到一些可怕的面孔，惡的很，很真切，或拿著刀要殺人，但它只是嚇唬人，它真的砍也砍不上，因為師父已在煉功人體外給他下了防護罩，砍不到。它嚇唬人的目地是不讓你煉功。這些東西都是一個層次、一個階段的表現，很快就會跳過去，幾天、一個星期或幾個星期。就看心性有多高，看你對這個事情怎麼看待。

八、根基與悟性

根基是指一個人先天所帶來的白色物質，就是德這種有形物質，帶的多了根基必然就好。根基好的人容易歸真，容易悟道，因為他的思想沒有障礙，一聽到要學氣功，一聽到修煉的東西，他就產生了興趣，他就願意去學，能和宇宙溝通。正如老子所說：「上士聞道，勤而行之；中士聞道，若存若亡；下士聞道，大笑之，不笑不足以為道」。容易歸真悟道的人就屬於「上士」者。相反，黑色物質多的人，根基差的人在他的體外形成一種屏障，使他不能接受好的東西。如果接觸到好的東西的時候，它會促使他不相信，實際上這就是業的作用。

談到根基必然涉及悟性問題。一說到悟，有人就以為悟就是聰明。常人講的聰明、猴精的人離我們講的修煉實在相差太遠了，這種聰明人往往不容易開悟，他只看重現實物質世界，甚麼也不吃虧，甚麼好處都不撒手。特別是有個別人，自以為學問大，有知識，很聰明，把修煉看作是天方夜譚。煉功修心性，對他來說不可思議，認為煉功人都是傻子，是迷信。我們講的悟，不是指聰明，而是指人性的歸真，做一個好人，符合宇宙特性。根基決定一個人的悟性，根基好，悟性也會好。根基決定悟性，悟性也不完全受根基制約。根基再好，理解差，沒悟到也不行。有的人根基不太好，但他悟性好，就能往上修。我們是普度眾生，看悟性不看根基。儘管你帶的不好的東西挺多，只要你有決心往上修，你這一念之出實際就是正念。有這想法，你也就只不過比別人多付出一點，最終還是可以修成的。

煉功人的身體已經是純淨的了，出功以後身體是不能有病的，因為體內的高能量物質已不允許黑色物質存在了。但有的人就是不相信，老是認為自己有病，說我怎麼這麼難受啊！咱們說你得的是功，你得那麼好的東西，還能不難受嗎？修煉嘛，就是要相對付出的。實際上那都是表面的東西，對你身體毫無影響，看上去好像是病，根本就不是病，就靠你自己去悟了。煉功人不但要能吃苦中苦，還得悟性好。有的人遇到麻煩事也不去悟，我在這裏講高層次，怎麼高標準要求自己，但他還是混同於常人，他甚至不能使自己處在真正煉功人狀態去煉功，也不相信自己會處在高層次。

高層次講悟是指開悟。悟，有頓悟和漸悟之分。頓悟是指整個修煉過程都是鎖著煉的。當你走完修煉全過程後，心性得到提高之後，到了最後一瞬間，功能全部炸出來，天目一瞬間開到最高層次，思維可以接觸到另外空間高級生命，一下子看到整個宇宙各個空間各個單元世界的真相，並和他們有了溝通，能夠施展大神通。頓悟這條路最難走，歷代都是挑選根基相當高的人當徒弟，歷代都是單傳功法。一般人受不了啊！我是走了頓悟這條路的。

我現在傳給大家的屬於漸悟的東西。它在修煉過程中，該出甚麼功能就出甚麼功能，但也不是絕對出了功能就給你用。當你心性還沒達到一定層次，把握不住自己，容易幹壞事時，功能暫時不給你用，但終究會給你的。通過修煉，層次會逐漸提高，逐漸認識宇宙的真理，也像頓悟一樣，最後達到圓滿。漸悟這一條路較好走，沒有危險性。難的是修煉過程你都看見了，你更應該嚴格要求自己。

九、清靜心

有些人煉功靜不下來，在探尋入靜的方法。有人問我：老師啊，我煉功為甚麼靜不下來呢。你教我甚麼辦法啊，採用甚麼手法啊，使我打坐能靜下來。我說你怎麼能靜的下來呢！神仙來教你方法你都靜不下來。為甚麼呢？因為你自身的心不清靜。人生活在這個社會中，七情六慾，方方面面的個人利益，自身的甚至親朋好友的你都掛在心上，腦子裏佔的比重太大，擺的位置相當高，打坐煉功時能靜的下來嗎？人為的去壓制它，而它自個兒就往出翻。

佛教修法中講「戒、定、慧」。戒，就是要放棄那些執著的東西。有採用念佛號的，要一心不亂的去念，使自己的思想達到一念代萬念的狀態。但它可是一種功夫，而不是一種方法。不信你去念，保證嘴裏念著佛號，腦子裏又翻騰起別的東西來了。最早西藏喇嘛教念佛號一天要念幾十萬遍，念一個星期。念的昏頭脹腦，最後腦子裏甚麼都沒有了，一念代萬念了。那是一種功夫，你不一定做的了。也有些功法教你意守丹田、數數或者眼睛視物等方法，實際上這些都不能使你絕對的靜下來。煉功人得有一顆清靜的心，得把個人利益捨一捨，把那顆貪慾之心放下來。

實際上能不能靜下來、定下來，反映了一個人功夫的高低，層次的高低。一坐下就能靜下來，這是層次的體現。暫時靜不下來、做不到不要緊，你可以在修煉過程中慢慢去做到。心性是慢慢提高的，功是慢慢長的。不把個人的切身利益和慾望放淡，功是無法往上長的。

煉功人每時每刻都要高標準要求自己。社會上各種複雜的現象，許許多多低級、不健康的東西，七情六慾的東西，無時無刻不在干擾著煉功人。電視、電影、文藝作品中宣傳的東西，它是引導你去做常人中的強者，做更為現實的常人。你超脫不了這些東西，你與煉功人的心性、心境差距就越大，你所得到的功就越少。煉功人要少或不接觸那些低級的不健康的東西，應做到視而不見，聽而不聞，不為別人所動，不動心。我常說，常人的心是打動不了我的，誰說我一句好，我不會為之高興；誰罵我一句不好，我也不會為之生氣。人們之間和常人之間再嚴重的心性干擾對我不起作用。煉功人要把一切所得的利益看的淡淡的，甚麼都不放在心上，那時你的悟道之心才算是成熟的。沒有對名利的強求之心，把名利地位看作是無所謂的東西，你就不會煩惱，不生氣，永遠處在心理平衡狀態。甚麼都放的下，自然就會清靜。

我把大法講給你們了，五套功法都教給你們了，給你們調理好了身體，給你們身上下了「法輪」、「氣機」，還有我的法身保護你們。該給你們的全給你們了。在辦班期間是看我的，今後就看你們的了，師父領進門，修行在個人。只要你們參透大法，精心體悟，時時守住心性，勤於實修，能吃苦中之苦，能忍難忍之事，我想你一定會修煉成功的。

功修有路心為徑
大法無邊苦作舟

第四章 法輪功功法

法輪功是一種佛家修煉的特殊方法，有其不同於一般佛家修煉方法的獨到之處。因為本功法是上乘修煉大法，過去要求有極高心性者或大根器之人所學的特殊的強化修煉法，所以難於普及。但為了使更多的煉功之人得到提高，了解本法門，同時又滿足廣大有志於修煉者的要求，所以將本功法整理出一套適合普及的修煉方法傳出。即使這樣，他也已經大大超出一般功法所學的東西與層次了。

修煉法輪功者不但可以快速增長功力和功能，而且會在很短的時間裏煉出威力無比的法輪來。法輪形成以後，平時在小腹處自動旋轉不停，不斷的從宇宙中採集、演化能量，最後在修煉者本體中轉化為功，從而達到法煉人的目地。

本功法由五套動作組成，即：佛展千手法、法輪樁法、貫通兩極法、法輪周天法和神通加持法。

一、佛展千手法

功理：「佛展千手法」核心就是疏展，使百脈皆通。對於初學氣功者來說，通過煉功後可迅速得氣；對於煉功有素者來說可迅速得到提高。這套功法一上來就要求百脈皆通，使煉功者站在一個很高的層次在煉了。本功法動作比較簡單，因為大道至簡至易，動作雖簡單，卻在宏觀上控制著整個功法所要煉出的東西。學煉此功時，會感到身體發熱，能量場很強的特殊感受，原因是展開和疏通全身所有氣之通道所致。其目地是打通氣塞的地方，暢通無阻，調動體內和皮下之氣強烈運動，大量吸收宇宙中的能量，同時可使煉功者很快進入氣功能量場的狀態之中。本功法作為法輪功的基礎功法來煉，每當煉功時一般先修煉此功法，是一種強化修煉方法之一。

訣：

身神合一，動靜隨機；
頂天獨尊，千手佛立。

圖一之一

預備勢——全身放鬆，鬆而不懈，雙腳與肩同寬，自然站立，兩腿稍微彎曲，膝胯兩處成滑溜狀態；下頦微收，舌抵上顎，牙齒微微離縫，嘴唇閉上，雙目微閉，面帶祥和之意。在煉功中會感到自己很高大。

兩手結印——雙手抬起，手心向上。兩大拇指指尖輕輕接觸，其餘各四指合攏並重疊，男左手在上，女右手在上，構成似橢圓形狀，置於小腹處。兩大臂微向前，兩肘架起來，使腋窩空開，（如圖一之一）。

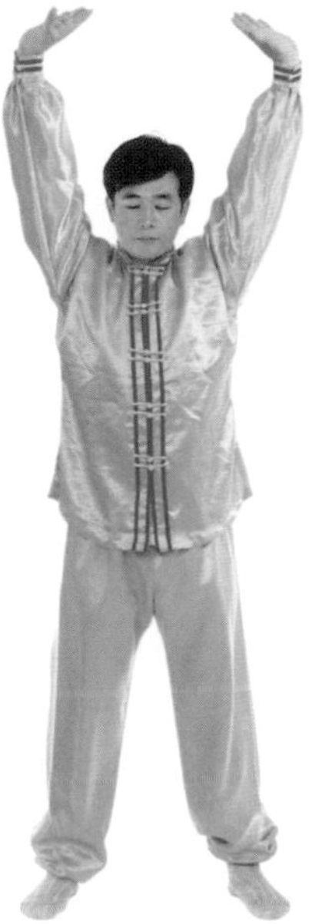

圖一之二

圖一之三

彌勒伸腰——以結印起勢，以手印勢抬起，隨著手的抬高，兩腿逐漸伸直，當手抬到頭前時，結印鬆開，並逐漸向上轉掌，到達頭頂時，手心向上，十指相對，指尖相距二十至二十五釐米，（如圖一之二）。與此同時，頭向上頂，雙腳下踩，身體挺直，兩手掌根用力上舉，全身逐漸抻直，約抻二至三秒鐘，全身立即放鬆。特別膝胯兩處要恢復成滑溜狀態。

如來灌頂——接上式做，兩手同時向外轉掌一百四十度以手成「漏斗狀」，伸腕落掌，（如圖一之三）。雙掌下落對著胸部，手距胸部約十釐米的距離，繼續向小腹處運動，（如圖一之四）。

圖一之四

圖一之五

雙手合十——手到小腹後，緊接著提起兩手到胸前「合十」（如圖一之五）。「合十」時，手指與手指，掌根與掌根緊貼，手心空開，兩肘架起來，兩小臂成一直線。（兩手除「合十」、「結印」外，均為「蓮花掌」，下同。）

掌指乾坤——由「合十」起勢。兩掌鬆開，其間隔約二至三釐米，同時開始轉掌，男左手（女右手）向胸部轉，右手向胸外轉，形成左手在上，右手在下

圖一之六

圖一之七

與小臂成「一」字形狀，（如圖一之六）。接著，左小臂向左斜上方展開，掌心向下，手的高度與頭部等高即可；右手仍在胸前，掌心向上。隨著左手逐漸到位，全身逐漸抻直，頭向上頂，腳向下踩。左手向左斜上方抻直，右手在胸前，隨大臂向外抻，（如圖一之七）。約抻二至三秒鐘，全身立即放鬆。左手再恢復到胸

圖一之八

圖一之九

前與右手成「合十」狀態。然後再轉掌，右手（女左）在上，左手在下（如圖一之八）展開。右手重複左手動作，即右小臂向右斜上方展開，掌心向下，手的高度與頭部等高即可；左手仍在胸前，掌心向上。抻後（如圖一之九）全身立即放鬆。手收回後，在胸前「合十」（如圖一之五）。

圖一之十

圖一之十一

金猴分身——由「合十」起勢。兩手由胸前拉開向兩側伸展，與肩成「一」字形狀，全身逐漸抻直，頭往上頂，腳往下踩，兩手往兩邊用力，四面分掙力（如圖一之十），約抻二至三秒鐘，全身立即放鬆，兩手恢復到胸前「合十」。

雙龍下海——由「合十」起勢，兩手一邊分開，一邊向前下方伸展。當兩臂分開平行、伸直時，與大腿之間的夾角約為三十度（如圖一之十一）。全身逐漸抻直，頭向上頂，腳向下踩，約抻二至三秒鐘，全身立即放鬆，手收回後，在胸前「合十」。

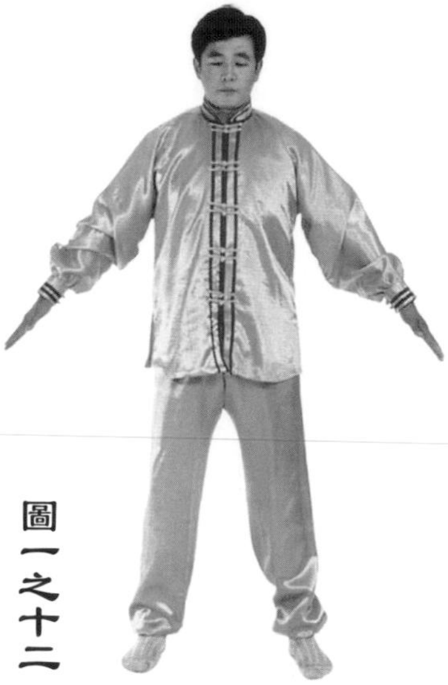

圖一之十二

圖一之十三

菩薩扶蓮——由「合十」起勢。兩手一邊分開，一邊向身體兩側斜下方伸展。手到體側時，兩臂伸直，與大腿間的夾角成三十度左右，（如圖一之十二）。此時，全身逐漸抻直，手指尖向下用力，然後，全身立即放鬆，兩手恢復到胸前「合十」。

羅漢背山——由「合十」起勢。兩手一邊分開，一邊向體後伸展，同時兩掌心轉向後方。當兩手到體側時，兩手腕逐漸鉤起；手過體後，手腕成四十五度角（如圖一之十三）。全身逐漸抻直，手到位後，頭向上頂，腳往下踩，身體正直，約抻二至三秒鐘，全身立即放鬆。再收回兩手，恢復到胸前「合十」。

圖一之十四

圖一之十五

圖一之十六

金剛排山——由「合十」起勢。兩手一邊分開，一邊向前方以立掌推出，指尖向上，臂與肩同高。當臂伸直後，用力一抻，頭往上頂，腳往下踩，身體挺直（如圖一之十四）。約抻二至三秒鐘，全身立即放鬆，兩手恢復到胸前「合十」。

疊扣小腹——由「合十」起勢。兩手緩緩下落，並將掌心轉向腹部，當手到小腹處時，兩手重疊，男左手在裏，女右手在裏，手心對手背。手與手、手與小腹之間約有三釐米的距離，疊扣時間一般四十至一百秒（如圖一之十五）。

收勢——兩手結印（如圖一之十六）。

二、法輪樁法

功理：本功法是法輪功的第二套功法，屬於靜樁法。由四個抱輪動作組成，動作比較單調，而且每一個動作又要求煉很長時間。初學站樁的人，開始煉功時兩臂會很沉、很酸，但煉後馬上會感到身體輕鬆，沒有幹活後的疲勞感覺。隨著時間的加長，煉功次數的增加，在雙臂間會出現「法輪」在旋轉。常煉法輪樁法可使全身全部灌通，增加功力。「法輪樁法」屬於增慧、提高層次、加持神通的全修方法，功雖簡單，但所煉的東西是很多、很全面的。本功法動作要自然，自己知道在煉功，不要晃動，有小動是正常的。本功法和法輪功的其它功法一樣，煉完後不收功，因為法輪是常轉不能收停的，煉功每個動作的時間要求因人而異，越長越好。

訣：

生慧增力，容心輕體；
似妙似悟，法輪初起。

圖二之一

圖二之二

預備勢——全身放鬆，鬆而不懈，雙腳與肩同寬，自然站立，兩腿稍微彎曲，膝胯兩處成滑溜狀態；下頦微收，舌抵上顎，牙齒微微離縫，嘴唇閉上，雙目微閉，面帶祥和之意。

雙手結印（如圖二之一）。

頭前抱輪——由結印起勢。兩手由腹前緩緩抬起，隨之鬆開結印。當兩手抬到頭前時，手掌掌心對著面部，高度與眉平齊，十指指尖相對，指間距約十五釐米，兩臂抱圓，全身放鬆（如圖二之二）。

圖二之三

圖二之四

腹前抱輪——兩手由「頭前抱輪」狀態緩緩下落，姿勢不變，一直落到小腹處，手距小腹約為十釐米，兩肘架起來，腋窩空開，手心朝上，十指指尖相對，指間距約十釐米，兩臂抱圓（如圖二之三）。

頭頂抱輪——由「腹前抱輪」起勢，姿勢不變，兩手緩緩舉到頭頂，做頭頂抱輪。兩手十指相對，手心向下，指間距為二十至三十釐米，兩臂抱成圓形，兩肩、臂、肘、手腕全是放鬆的（如圖二之四）。

圖二之五

圖二之六

兩側抱輪——兩手由「頭頂抱輪」下落，直達頭部兩側，手掌心對向雙耳，兩肩放鬆，小臂豎直，手與耳之間距離不要太近（如圖二之五）。

疊扣小腹——兩手由「兩側抱輪」下落，直達小腹處成疊扣狀態（如圖二之六）。兩手結印收勢。

三、貫通兩極法

功理：本功法是將宇宙之氣和體內之氣混合貫通之法，吐納量大，使煉功者可在極短時間內，將身體內部病氣、黑氣排出體外，再納入大量宇宙之氣，淨化身體，早日進入「淨白體」狀態。同時，此功還可在沖灌中「開頂」，也能在沖灌中打開腳下人體通道。

煉功前意想一下自己是兩根高大的空桶子，頂天立地，高大無比。體內之氣隨手上下而動，沖出頭頂，直達宇宙最上之極處；下沖之氣從一隻腳下沖出，沖到宇宙最下之極處。然後氣隨手動，從兩極返回體內，再從反方向發出，往返共九次。當沖灌第九次時，左（女右）手在上極處等待右（女左）手提上來。然後同時向下發出灌入下極處後收回，經過身體向上沖灌，往返九次後把氣收回。收回後，在小腹處順時針推轉法輪，將體外之氣旋回體內，然後結定印，煉完後收式不收功。

訣：

淨化本體，法開頂底；
心慈意猛，通天徹地。

圖三之一

圖三之二

預備勢——全身放鬆，鬆而不懈，雙腳與肩同寬，自然站立，兩腿稍微彎曲，膝胯兩處成滑溜狀態；下頦微收，舌抵上顎，牙齒微微離縫，嘴唇閉上，雙目微閉，面帶祥和之意。雙手結印、合十。

單手沖灌——由「合十」起勢。做單手上沖下灌動作，手隨體外氣機緩緩而動，體內之氣隨手上下而動。男先左手向上，（如圖三之一），女先右手向上。手從頭側前方緩緩上沖，沖出頭頂；同時，右（女左）手緩緩下灌，然後，與另一隻手交換沖灌（如圖三之二）。兩手掌心對著身體，與身體保持十釐米的距離。做時全身要放鬆，手一上一下算一次，沖灌共九次。

圖三之三

圖三之四

圖三之五

雙手沖灌——當單手沖灌做到第九遍，即左手（女右手）在上時，另一隻手提上來，就是說，兩手都處在上沖的位置（如圖三之三），然後雙手同時向下沖灌（如圖三之四）。雙手沖灌時，手掌心對著身體，離身體十釐米，一上一下算一次，共沖灌九次。

圖三之六

圖三之七

圖三之八

雙手推動法輪——在完成第九次時，兩手從頭上經過頭、胸往小腹處下落，一直落到小腹處，在小腹處推動法輪（如圖三之五、三之六、三之七）。男左手在裏，女右手在裏，手與手之間、手與小腹之間距離約為四釐米，向順時針方向推轉法輪四次，將體外之能量旋回體內。推轉法輪時雙手不要超出小腹範圍。

兩手結印（如圖三之八）。

四、法輪周天法

功理：此法是使人體能量大面積流動，不是一條脈或幾條脈在走，而是從人體的陰面整面循環到陽面，往復不停，遠遠的超出了一般通脈法，或大、小周天。本功法屬法輪功的中層功法。在前三套功法的基礎上，通過煉此功法可以很快打開全身氣脈（其中包括大周天），由上而下漸漸通遍全身。本功法的最大特點是用「法輪」的旋轉來糾正人體的不正確的狀態，使人體小宇宙歸為初始狀態，達到全身氣脈暢通無阻。煉到此狀態時，在世間法的修煉中已達到很高的層次了，大根器者可進入大法中修煉了。此時，功力和神通會大增。煉時，手隨氣機而動，動作要緩、慢、圓。

訣：

旋法至虛，心清似玉；
返本歸真，悠悠似起。

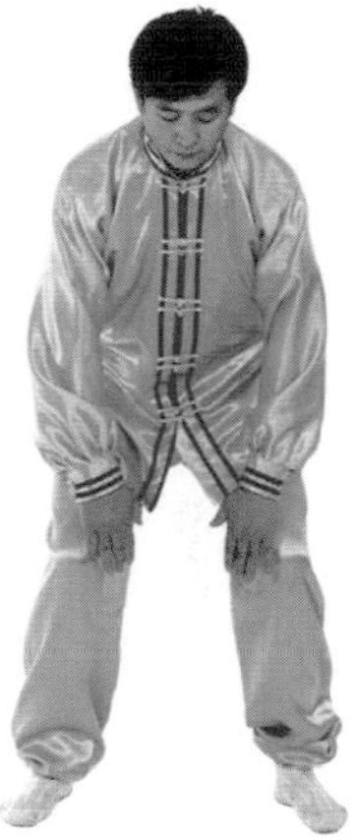
圖四之一

圖四之二

預備勢——全身放鬆，鬆而不懈，雙腳與肩同寬，自然站立，兩腿稍微彎曲，膝胯兩處成滑溜狀態；下頦微收，舌抵上顎，牙齒微微離縫，嘴唇閉上，雙目微閉，面帶祥和之意。

雙手結印、合十。

兩手一邊解除「合十」狀態，一邊向小腹部位下落，同時，轉兩掌心對向身體。手與身體的距離約十釐米，越過小腹向兩腿間下伸，沿兩腿的內側下來，同時彎腰下蹲，（如圖四之一）。當兩手指尖接近地面時，手從腳尖、腳外側一直劃過到腳後跟外側（如圖四之二）。

圖四之三

圖四之四

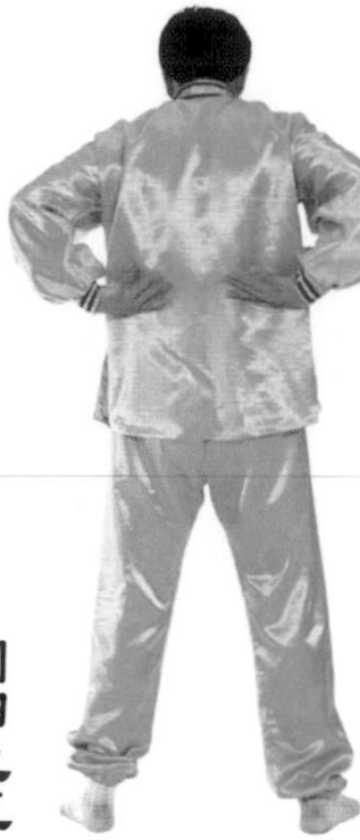
圖四之五

然後，兩手腕微曲，從腳後跟處逐漸順腿後側向上提起（如圖四之三），兩手一邊從背後向上提一邊直腰，（如圖四之四）。在整個法輪周天法中，兩手不要接觸身體任何部位，否則，兩手上的能量會收回體內。當兩手到達不能上提為止，攥空拳（如圖四之五），再從腋窩處掏過來，兩臂在胸前大交叉（哪個臂在上，哪個臂在下，沒有特別要求，

圖四之六

圖四之七

隨個人習慣自定，男女無分別）（如圖四之六），鬆開兩拳，兩掌在肩上（有間隙）。緊接著雙掌順兩臂的陽面拉到兩手腕處時，變兩掌掌心相對，即外手大拇指轉向上，內手大拇指轉向下，掌間距離約三至四釐米，此時，手與臂成「一」字形狀，（如圖四之七）。接著握球擰掌，即外手變內手，內手變外手。然後，兩手

圖四之八

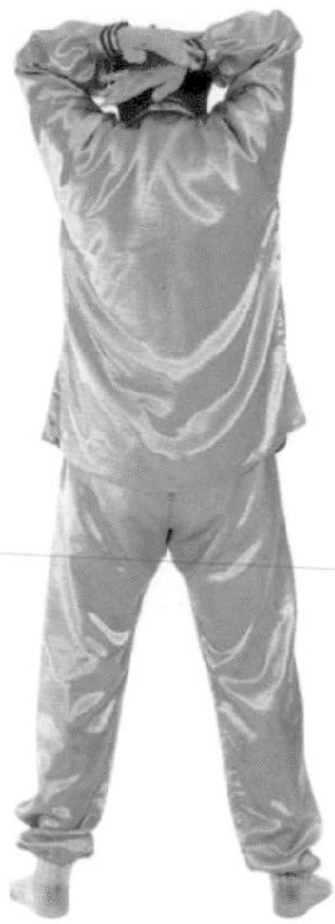

圖四之九

圖四之十

一邊沿著小臂陰面和大臂陰面推進，一邊向上舉起並過頭部，（如圖四之八）。兩手過頭後，兩手成交叉狀態，並繼續向大椎處運動（如圖四之九）。兩手由交叉分開，指尖向下，與背部的能量接上，再將兩手平行的從頭上運動過來到胸前，（如圖四之十）。這樣為一個周天的循環，共做九次。完成九次後，兩手經過胸前往小腹處下落。

疊扣小腹，兩手結印。

五、神通加持法

功理：「神通加持法」屬法輪功的靜功修煉法，是用「佛」之手印轉「法輪」加持神通（包括功能）與功力的多項同修功法。本法屬中層以上功法，原屬秘煉之法。為了滿足有一定基礎者的要求，特將此功法傳出，使其傳度有緣之士。本功法要求在盤坐中煉，最好用雙盤，採用單盤也可以。修煉時氣流比較強，體外的能量場比較大。動作是隨著師父所下的氣機而行，起手時心隨意動。加持神通時，意空、潛意識微微在兩掌。掌心會有熱、重、電麻，似有物等感覺。但不要用意追求，隨其自然。盤坐時間要求越長越好，可根據功底而定，時間越長，強度越大，出功越快。煉功時，（甚麼也不想，沒有任何意念）漸漸入靜，由似靜非定的動功狀態漸漸入定。但主意識知道自己在煉功。

訣：

有意無意，印隨機起；

似空非空，動靜如意。

圖五之一

圖五之二

兩手結印——盤腿打坐，全身放鬆，鬆而不懈，腰直頸正，下頦微收，舌抵上顎，牙齒微微離縫，嘴唇閉上，雙眼微閉，心生慈悲，面帶祥和之意。兩手「結印」置小腹處，漸漸入靜（如圖五之一）。

圖五之三

圖五之四

手印之一——（起手時，心隨意動，隨著師父所下的氣機而行，要求緩、慢、圓）兩手從「結印」狀態中緩緩上舉，到達頭前方時逐漸向上翻掌，當兩手心向上時，手也到達頂點（如圖五之二），接著兩手分開，在頭頂劃弧，向兩側轉動，一直轉到頭側前方，（如圖五之三）。緊接著，兩手緩緩下落，兩肘儘量內靠，兩手掌心朝上，指尖朝前，（如圖五之四）。然後，兩手腕一邊伸直，一邊在胸前交叉

圖五之五

圖五之六

通過。男左手在外行，女右手在外行（如圖五之五），在兩手交叉通過成「一」字形時，在外之手，手腕向外側轉，一邊翻掌心向上，劃大半個圓弧，變成掌心朝上，指尖朝後，手有一定力度；在內之手交叉通過後，手心逐漸轉向下方，直至伸直，手、臂並轉成掌心朝外，手、臂在身體的正斜下方與身體成三十度夾角，（如圖五之六）。

圖五之七

圖五之八

手印之二——接（圖五之六）勢做，左手（在上之手）從裏走，右手一邊轉掌心朝內一邊上行，動作只是手印一的左右交換，手位相反（如圖五之七）。

手印之三——男右手（女左手）手腕一邊伸直，掌心對向身體，通過在胸前交叉後，手心轉向下，直到前斜下方小腿處，臂要伸直；男左手（女右手）轉掌心朝內，一邊上行，通過交叉後，一邊翻掌，一邊向左（女右）肩前方運動，手到位後，手心向上，指尖朝前（如圖五之八）。

圖五之九

圖五之十

手印之四——與手印三交換手勢而已，男左手（女右手）在內行，男右手（女左手）在外行，動作只是左右換手，手位相反（如圖五之九）。前四個手印，動作是連貫的，沒有停頓。

加持球狀神通——接「手印之四」做。上手在內行，下手在外行，男右手逐漸轉掌，手心向胸部下來。男左手（女右手）上提，當兩小臂到達胸前成「一」字形時（如圖五之十）。兩手一邊向兩邊拉開，（如圖五之十一）一邊轉手心向下，當兩手到達膝外側上方時，手的高度與腰平齊，小臂與手腕是平的，兩臂放鬆（如圖五之十二）。

圖五之十一

圖五之十二

此式是把體內的神通打在手上來加持，是呈球狀的神通。加持神通時，掌心會有熱、重、電麻、似有物等感覺，但不要用意追求，隨其自然。此式做的時間越長越好，直到不能堅持為止。

圖五之十三

圖五之十四

加持柱狀神通——接上式。

右（女左）手一邊轉手心向上，一邊向小腹處運動，手到位後，手心向上在小腹部位；在右手動作的同時，左（女右）手一邊抬起，一邊向下頦處運動，手心仍向下，手的高度與下頦平齊，小臂與手是平的。此時，兩手掌心相對，定式（如圖五之十三），這是加持柱狀神通，如掌手雷之類。做到自己覺的不能堅持為止。然後，上手從前方劃一半圓形，落於小腹處；同時，下手上提，並翻手心向下，抬

圖五之十五

圖五之十六

到下頦處，（如圖五之十四）。臂與肩平，兩手掌心相對。這也是加持柱狀神通，只是手勢相反。做的時間到臂累的不能堅持為準。

靜功修煉——接上式，然後，上手從前方劃一半圓形落於小腹處，兩手成結印狀態（如圖五之十五），進入靜功修煉。入定，時間越長越好。

收勢——雙手「合十」（如圖五之十六），出定，解除盤坐狀態。

修煉法輪功的一些基本要求和注意事項

一、法輪功的五套功法，可以依次煉，也可以任意選煉。但是，一般要求先煉第一套，而且煉上三遍為宜。當然，不煉第一套也可先煉其他各套。每一套都可單獨煉。

二、動作要準確，節奏要清楚，手和臂要圓滑，上下、前後、左右，都要「緩、慢、圓」的隨氣機而行。不要過快，也不要過慢。

三、在煉功中必須以主意識控制自己。法輪功是修煉主意識的，不要有意的去追求晃動，如有晃動就要控制住，必要時，可以睜開眼睛。

四、全身放鬆。特別是膝胯要放鬆，站的太直，氣脈是不通暢的。

五、煉功中，動作要輕鬆自然，舒展大方，柔中有剛，連貫自如，既有一定力度，又不死板僵硬。這樣做動作，功效明顯。

六、每當煉功結束時，「只收勢，不收功」，只做「結印」動作即可，結印畢，收勢完。不要用意念去收功，因為法輪是不能停轉的。

七、久病體弱者，可根據實際情況少煉，或者任選一套修煉。不能煉動功可以打坐。煉功一般不宜間斷。

八、煉功的場地、時間和方向沒有特別要求，但要求場地要清潔、環境要安靜。

九、煉此功不帶意念，不會出偏。但不要摻和著別的功法，如果煉功時加進其它功法，法輪是會變形的。

十、煉功時實在靜不下來，可以念師父的名字，久而久之自然就靜下來了。

十一、煉功時會遇到一些魔難，魔難是還「業」的一種方式。每個人都有「業」，身體出現不舒服時，不要認為是有病。為了消「業」，給修煉掃清道路，魔難來的要快、要提前。

十二、打坐時盤不上腿，可以先坐在椅子邊上煉功，也能收到同樣的效果。但是，作為煉功人，必須要能盤腿，時間久了慢慢的總會盤的上的。

十三、在煉靜功中，如看到圖象，或者一些景象，不要去理睬它，仍煉自己的功。如有驚嚇現象干擾時，或者受到甚麼威脅時，要立即想到：我有法輪功老師保護，甚麼都不怕；或者喊李老師的名字，繼續煉功。

第五章 答疑

一、法輪和法輪功

弟子：法輪是由甚麼構成的？

師：法輪是一種高能量物質構成的靈體，自己會轉化功，不存在我們這個空間。

弟子：法輪是啥樣的？

師：法輪的顏色只能說是金黃色的，咱們這個空間還沒有這種顏色。圈的底是非常鮮豔的大紅色；外圈底是橙黃的；有兩位紅黑太極是道家的；有兩位紅藍太極是先天大道的，這是兩種不同的東西。「卍」字符是金黃色的。天目層次低的人看到的就像電扇那樣轉，若能看清楚是相當好看的，會使煉功人的修煉更加勇猛精進。

弟子：法輪初期在甚麼位置？以後在甚麼位置？

師：我真正給大家的法輪只有一個，在小腹部位上，也就是我們說煉丹守丹部位，他的位置是不變的。有人能看到許許多多的法輪在轉，那是我的法身在給你調整身體時外用的。

弟子：煉功，能煉出法輪來嗎？能煉出多少？這和老師給的有甚麼不同？

師：煉功能煉出法輪來，當你功力不斷加深時，法輪就會越來越多，法輪都是一樣的，只是在小腹部的法輪不到處動，那是根。

弟子：怎樣體察法輪的存在和旋轉？

師：不用去體驗，有的人很敏感，他會感到法輪在轉。在法輪剛下上初期，你可能會感到體內有些不適應，腹痛，有東西在動，有熱的感覺等等。等順應過來以後，就沒有感覺了。但是有功能的人能看到，就像胃一樣，你不會感到胃在動。

弟子：法輪圖上的法輪旋轉方向和學員證（指北京第一、二期）上的不一樣，聽課用的學員證上法輪是逆時針轉的，為甚麼？

師：目地就是給大家一點好東西，他向外發放能量是給大家調整身體，所以不是順時針轉的，你們能看到他是轉的。

弟子：老師給每個學員下法輪的時機？

師：我們在這裏和大家說一下，我們有些學員煉過很多功法，難就難在要把他身上亂七八糟的東西都處理掉，好的留下，壞的去掉，多了一道手續。此後，就可以把法輪下上。根據他煉功層次高低，下的法輪大小不同。有些人沒煉過功，通過調整，根基也不錯，在我這個班上病去掉了，走出了煉氣的層次，進入奶白體狀態，也可以下上法輪。好些人身體相當差，一直在調整，沒有調整好怎麼下法輪？這只是少部份人下不上，不要緊，我已經把形成法輪的氣機下上了。

弟子：法輪是如何帶上的？

師：這不是帶上的。我把法輪打出去下在你們小腹部位，可不是在我們這個物質空間，在另外的空間，要是在這個空間，你的小腹部位有腸子，有腸子那一轉還了得嗎？他是在另一個物質空間，和你這邊沒有衝突。

弟子：下期傳授班是否繼續給法輪？

師：你就得一個。有人感到有許多法輪在轉，那是外用的，用來調整你的身體。我們這個功最大的特點是在發放能量時打出去一串串法輪，所以你沒有煉功就有許許多多的法輪在你身上轉來轉去，調整你的身體。真正給你的法輪是在小腹部位那個。

弟子：不煉功是否意味著法輪會消失？法輪能存在多久？

師：你只要把自己看作是個煉功人，按我講的心性要求去做，在你沒煉功時，他不但不會消失，反而還會加強，你的功力還會長。可是相反，你煉功比誰都勤，但沒按著我要求的心性去做，恐怕煉也白煉，雖然煉功，也不起作用。不管你煉哪種功法，沒按要求去做，很可能煉的是邪法。如果你頭腦中盡想不好的事，誰怎麼那麼壞呀？等我出了功能非治他一下不可。就是學法輪功，在煉功中加進這些東西，没照我說的心性要求，不也是在練邪法嗎？

弟子：老師常說「法輪就是花一億元錢也得不到」是甚麼意思？

師：就是說，他太珍貴了。我給你的東西不僅是法輪，還有保證你煉功的一些東西都是珍貴的，都是千金不換的。

弟子：來遲了能不能得到法輪？

師：只要你是最後三天之前來的，都能得到調整，同時下上法輪和其它東西。最後三天來的就不好說了，但也會得到調整，下東西是很難的，也許你條件不錯就下上了。

弟子：用法輪來糾正人體不正確狀態是一種方法嗎？

師：不全用法輪來糾正，老師會用許多方法糾正的。

弟子：創立法輪功的史前背景如何？

師：我想這個問題太大了，太高了，超出了我們這個層次應該知道的範圍，在這裏不能講。但有一點，大家要知道，這不是佛教氣功，這是佛家氣功，他不是佛教。但我們和佛教有一個共同的目標，只是修的法門不同，走的路不同，目標是一致的。

弟子：法輪功歷史有多長？

師：我煉的功法和傳出來的這套東西不完全一樣。我煉的法輪威力要比傳出來的更大，長功也比現在的這套功快。雖然如此，我現在傳出來的這套功法長功也已經很快了，所以對煉功者的心性要求就更高更嚴。我傳出來的東西是經過整理後拿出來的，要求不那麼高，但比一般功要高，他和原來的東西不一樣，所以就說我是創始人。至於問法輪功歷史多長，沒拿出來傳也不算，我是去年（一九九二年）五月開始在東北傳功的，你就說他是從去年五月開始的吧。

弟子：我們聽講，老師給我們甚麼？

師：法輪給大家了。有修煉的法輪，還有調整身體的法輪，同時還有我的法身在管你，每人都有，只要你是煉法輪功的。你不煉功法身自然不管你，讓他去他也不去。你在想甚麼，我的法身知道的清清楚楚，明明白白。

弟子：法輪功能不能使我本身修成正果？

師：大法無邊。就是修到如來的層次，也不是頂頭。我們是正法，你修去吧！得到的都是正果。

二、功理與功法

弟子：有人做完「大周天」回去，做夢在天上飄，看的很清楚，這是怎麼回事？

師：我告訴大家，你在打坐時或做夢時出現這種情況，不是夢，是元神離體了，這和夢截然不同。做夢不會看的那麼清楚，那麼具體。元神離體，你見到些甚麼，甚至怎樣飄起來的，你會看的很實，記的很清楚。

弟子：法輪變形後會有甚麼不良後果？

師：説明他走偏了，法輪就會失效，而且還會給你在修煉中帶來許許多多麻煩事，就好像這條大道你不走，走到叉道上去迷了路，找不到路，會遇麻煩事。這些事會反映在常人生活狀態中。

弟子：一個人煉功，家裏環境怎麼處理？家裏能有法輪嗎？

師：在座的，已經有好多人看到家裏有法輪存在了，家裏人也已經開始受益。我們講過，同時同地有很多空間存在，你家裏也不例外，需要處理。處理的方法，一般是處理掉不好的東西，然後再下個罩，甚麼不好的東西也進不去了。

弟子：煉功中氣衝病灶，感到痛腫是怎麼回事？

師：病是一種黑色的能量團。在傳授班初期把它打散後，會感到病灶部位發脹，然而它已經失去根了，在向外發散，很快就會排出去，病就不存在了。

弟子：原有的病進班幾天消掉了，可是過了幾天又突然出現了，這是怎麼回事？

師：因為這功層次長的非常快，一個層次很短時間就過去了，你都沒體察到，實際上病已經好了。後來的症狀是我所講過的「劫難」來了，你細細體察一下，和你原來的病狀是不一樣的。你去找其他氣功師調理，他也動不了，是長功時業力的反應。

弟子：煉功還用不用吃藥？

師：這個問題自己悟，煉功吃藥就是不相信煉功能治病，信你還吃甚麼藥。可是你不按心性標準要求自己，出了問題你會說李洪志不叫吃藥，可是李洪志還叫你嚴格要求你的心性，你做到了嗎？真正修煉大法的人，身上帶的都不是常人的東西，常人得的病都不允許在你身上得。你的心如果擺正的話，相信煉功能煉好，把藥停了，不去管，不去治，就有人給你治了。大家在這裏一天比一天好，一天比一天舒服，是怎麼回事？好多人身上有我的法身不斷的進出，忙忙活活的，就是在幫你做這些事。如果自己心裏不穩定，一邊煉功，一邊採取不相信或試試看的態度，那你甚麼也得不到。你相不相信佛，是由你的悟性、根基所決定的。如果佛顯現出來，就在這裏可以用肉眼看的清清楚楚，那人們都去學佛，就不存在思想轉換問題。你要先相信，然後才能看的到。

弟子：有些人想請老師和老師的弟子看病，可以嗎？

師：我出山的目地不是治病。有人就該有病。我講的話有些人就是不明白，我不做更多的解釋。佛家功法是普度眾生，給別人看病是可以的。我們給別人看病，是有組織的，帶宣傳性的。因為我剛出山，知名度低，別人不認識，在傳功時可能沒人來聽，通過諮詢讓大家看看，實際效果很好，做個宣傳，不是專門為治病。用高功專職治病是不允許的，用超世間法代替世間法不行，不是這種狀態，有時治病效果不好。為了對煉功的學員負責，就必須把你的身體調整的沒有病，才能往高層次上修。如果你總想著你的病，根本就不想煉功，雖然沒有說，但你的思維我的法身都了解的一清二楚的，最終你甚麼也得不到。我們在班上已經給大家調整身體了，當然你首先必須是煉功的人。如果我中途給大家治病還要再收錢，這樣的事我們不幹。如果你的病沒好，那還是悟性問題。當然也不排除有個別人病很重，可能在你身上反映不明顯，但實際上很大很大。一次可能調整不好，但我們已經盡力了，不是對你不負責任，實在是病太大了，你回去煉功還會一直給你治，直到你病好為止，這種情況是少數。

弟子：煉功時怎樣才能入靜？煉功時想著工作中的難題是否算執著？

師：把利益上的事看淡，平時就保持一顆清靜的心。如果你有準備，劫難甚麼時候來，是甚麼樣的，那就不成其為劫難了。往往都是突然來的，你橫下一條心肯定能過去，這樣才能看出你的心性有多高。你的執著心去掉了，心性提高了，與人爭鬥、怨恨等都放的下，思想不亂了，這時候再談定力。如果還靜不下來，你把自己當作第二者，認為思想不是你的，隨它翻江倒海怎麼想，你跳出來，任憑它去想好了。還有人說念佛號，或是數數，這都是煉功的種種手段。我們煉功不要求意守，但你要知道自己在煉功。工作中的難題之事，不屬於個人利益，不是執著心，是件好事。我認識一個和尚，他懂得修煉這方面的東西。他在廟裏作住持，事情很多，但他往那一坐就和它們斷開了，保證不想，這也是功。實際真正煉功的時候，腦子裏甚麽都不想，沒有一點私心雜念。工作中的事不摻雜個人的東西，你還是能夠做好的。

弟子：煉功時思想中有不好的東西怎麽辦？

師：煉功中有時會出現許多不好的東西，大家剛剛煉功，不可能一下子達到很高的境界，現在也不會要求你很高，叫你思想中一點壞的東西也不去想，這是不現實的。慢慢來，開始的時候可以，但你不要放任自己，等時間長了，你思想昇華了，對自己要有高要求，因為你已經修煉大法了，從這個班下去之後已經不是常人了，身上帶的東西太特別了，所以你的心性要求就要嚴格。

弟子：煉功時感到頭和小腹在轉，覺的胸部難受？

師：這是初期時法輪在轉，以後就不一定有這種症狀了。

弟子：煉功時招小動物怎麼辦？

師：煉甚麼功都能招小動物，不要管它就完了。因為在好的能量場裏，特別是佛家功，功中存在普度眾生的因素。咱們的法輪在順時針旋轉時度己；逆時針旋轉時普度眾生。然後再循環回來，所以在咱們周圍的萬物都受益。

弟子：貫通兩極法是否手一上一下為一遍？佛展千手法時，手伸出之前是否要想自己很高大？

師：兩手各做一次為一遍。做佛展千手法時，你不想自己，也會覺的高大。你只要有這種意念感覺我天地獨尊，往那兒一站就可以了，不要老是意念追求，那就是執著的東西。

弟子：煉功打坐，盤不上腿怎麼辦？

師：盤不上可以坐在椅子邊上煉，也會收到同樣效果。但你是個煉功人，就必須煉你兩條腿，必須得盤上。坐在椅子邊上漸漸煉你的腿，終究得盤上。

弟子：如果家裏人做的事不好，不符合「真、善、忍」，怎麼辦？

師：你家裏人不是煉法輪功的，這個問題沒有關係，主要是修煉自我。你自己去修，不要想的很複雜，還得隨和點，多在自身上下功夫。

弟子：日常生活中有時做錯事很後悔，但又有反復，是否是心性太低？

師：你能寫出來，證明你心性已經提高了，能認識到這一點。常人做錯事都認識不到，說明你已經超出常人了。第一次做錯了，心性守不住，這有一個過程，下次再遇到問題，再提高。

弟子：四、五十歲的人能否達到「三花聚頂」？

師：因為我們是性命雙修功法，不在乎年歲大小，只要你一心去煉，能夠按照我說的心性去要求自己，就會出現不斷煉功、不斷延長生命的現象，你的煉功時間不就夠了嗎？但有一點，特別是性命雙修功法，當你生命是延長來的時候，如果心性出問題，馬上就會出現生命危險，因為是為了煉功才延長你的生命，所以心性一走偏，馬上就會出現生命危險。

弟子：如何掌握「柔中有剛」的力度問題？

師：這個你得自己摸索，比如說，我們打大手印的時候，手看上去很軟，可是做起來它實際上是用力，這個小臂和手腕子、手指之間的力度是很大的。但是看上去又是很軟，實際上力度是非常大的，這就是「柔中有剛」。我給大家打手印的時候，這個東西已經給你了，你慢慢在煉功中體察吧。

弟子：男女之間的事是否可有可無，年青人是否要離婚？

師：在色的問題上前面講過了，在你現有的層次上，沒叫你當和尚、尼姑，是你自己要當尼姑、和尚。關鍵是叫你放下這顆心！把你放不下的心都放下。作為常人這是一種慾望，在我們就得放的下，看的淡。有人就追求這個，腦子鑽進去了，作常人都超格了。作為煉功人更不應該。因為你煉功，家裏人不煉功，過正常生活在現階段是允許的，到了高層次以後，你自己就知道該怎麼辦了。

弟子：打坐時睡覺行不行？怎麼處理？有時出現昏迷達三分鐘，不知怎麼回事？

師：睡覺不行，煉功能睡覺嗎？打坐睡覺也是一種魔。你說昏迷這種現象不會出現，是不是沒寫清楚？三分鐘沒有意識不算甚麼，定力很高的人經常出現無意識狀態，長時間這樣就不行。

弟子：是否有決心修成正果的人都能成正果？根基稍差怎麼辦？

師：就看你有沒有這個決心，關鍵是這個決心有多大。根基稍差的人，還是看你的決心和悟性。

弟子：感冒發燒能煉功嗎？

師：我說你從班上下去之後都沒有病，你也許不信，我的徒弟有時像感冒、發燒是怎麼回事，那是過關，過難，該提高層次的反映。他們自己都明白，不管它自己就能過去。

弟子：懷孕的婦女能否煉法輪功？

師：沒有關係，因為法輪下在另一個空間，我們功法沒有劇烈運動，對懷孕婦女沒有壞的影響，對她身體還是有好處的。

弟子：老師離開我們，有沒有空間的距離？

師：好多人都有這種想法：老師你不在北京了，我們怎麼辦？你煉其它功法也一樣，老師也不能天天看著。法，我教給大家了，理，教給大家了，這套功教給大家了，完完整整的一套東西都給你了，就看你自己怎麼修了。你不能說在我身邊就有保證，不在我身邊就無保證。咱們舉個例子，說佛教徒，釋迦牟尼都不在世兩千多年了，他們不是繼承下來，一心不二的在煉嗎？所以煉不煉是自己的問題。

弟子：煉法輪功會辟穀嗎？

師：不會的，因為辟穀這種方法是在佛道沒有存在之前就存在的大道修煉，在沒有成為宗教之前就有，往往這種方法都屬於單修獨煉。因為當時沒有僧院制度，只能在半山腰上，沒有人供食物，修煉時需要閉關，需要半年一年不動，所以採用這種方法。我們今天修煉，不需要這樣，因為那是一種特定環境下採用的方法，並不是甚麼功能。有人教這個，我說全世界人都不吃飯了，這是破壞了常人的社會狀態，那要成問題的，人人都不吃飯了，那是人的社會嗎？那不成，不是那樣的。

弟子：這五套功法能煉到甚麼層次？

師：這五套功法已經夠你煉到極高極高層次了。當然你要想煉到哪個層次，到那時候你自己知道。因為功無止境，你真正到了那步，就有那個緣份，還能得到更高層次上的大法。

弟子：法煉人，法輪常轉是不是可以不煉功了？

師：煉功和寺院修法不一樣。其實寺院中心裏想著修，實際也是要打坐的，那個功夫是要煉的，不能說光長功甚麼都不煉，光說頭上有功，我說那不是煉功人吧？哪一套功夫都有承傳的一套東西，是要把這一套東西煉出來的。

弟子：練其它功的人說：沒有意念的功不是功法，對嗎？

師：這個說法那個說法多了，可沒有人像我這樣把大法告訴你。佛家講有為法不會太高，有為法不是指動作，他打坐、結印也是動作，所以不在動作大小。有為無為在於你的意念，在追求上，有意念，有追求，就是執著，就是有為，指的是這東西。

弟子：心性和德不相等，你說德的多少決定層次，又說心性多高功多高，兩者是否矛盾？

師：你可能沒聽清楚。心性包括的很廣，德是其中一部份；還包括「忍」、吃苦能力、悟性、對待矛盾等等，這一切都屬於心性問題，其中還包括功的演化、德的演化，是一個廣義上的東西。德有多少不是說你功有多高，它是說你將來長多少功。德還得通過提高心性魔煉後，它才能轉化為功。

弟子：一家幾口人練的不是一種功，會不會互相影響？

師：不會的。但是，他們之間會不會互相影響我不知道。作為我們法輪功誰也干擾不了，而且你對他們還有好處，因為我們是正法修煉，不會出偏。

弟子：現在社會上流傳很多說法，比如金鎖鏈甚麼的，怎樣對待？

師：我跟大家講，這東西純屬騙人，你不要給他回信，簡直是無聊，你可以不管它。你看他這東西正不正，一看就可以看的出來，我們這法嚴格要求修心性的。有些氣功師我叫他氣功商，拿氣功作為一種商品，成為換錢的資本，這樣的人教功也教不出甚麼東西來，有那麼點東西也不會高，還有的是邪的東西。

弟子：法輪功學員在寺院中皈依了怎麼辦？該退出嗎？

師：它和咱們沒甚麼關係，雖然你已經皈依，那是形式上的東西。

弟子：我們幾個從學習以來感到頭脹、頭暈？

師：這可能是新進來的學員，身體還沒有調整好，我打出的能量很大，病氣往外發會頭脹，頭脹是給你去頭上的病，是好事，但去的太猛反應就大。我們辦七天班時有人就受不了，時間再短可能就要出問題了，打出的能量大，反應非常厲害，頭脹的受不了，看來十天班比較穩，後進來的人反應會大些。

弟子：煉功可不可以抽煙、喝酒？因工作特點需要喝酒怎麼辦？

師：對這個問題我是這樣看的，我們煉佛家功是要戒酒的，時間長了不喝你可能還想，一點點的戒吧。但是時間別太長，太長了會遭到懲罰的！對抽煙，我認為是個意志問題，只要你想戒就能戒掉。常人常想：「我今天戒煙了。」過幾天又堅持不了。過兩天又想起來了，又戒，就這樣，他老也戒不了。常人生活在世間，世間人與人之間往來免不了這些應酬。但是，你要想到你已不是一個常人了，已經開始修煉了。有意志，就可以達到目地的。當然，我的徒弟也還有抽煙的，他自己也能戒，但別人一給他，他又拉不下面子，又想抽，兩天不抽還難受，再去抽也難受。自己一定要控制住！有些人是搞交際的，經常要陪客人喝酒，這個問題很難解決。儘量少喝吧，或者你想辦法解決！

弟子：當還不能看到法輪轉動時，如給順時針意念，會不會給正在逆時針轉的法輪造成影響？

師：法輪是自轉的，不用你意念引導。再強調一下，不要用意念，意念也控制不了他。不要以為你意念一控制就使他往反方向轉。小腹部位的法輪是不受意念控制的。在體外調整身體的法輪，你讓他轉，可能會接到你的思想活動，可能會產生這種感覺。我給你講：你不要做，不能人為的去煉。人為的去煉不還是人煉功了麼，是法輪去煉，是法煉人。為甚麼老放不開你意念的東西呢？任何功法到高層次，哪怕是道家功法，都沒有意念引導。

弟子：煉法輪功甚麼時間、地點、方位效果最好？煉多少次合適？飯前飯後煉有關係嗎？

師：因為法輪是圓的，是我們這個宇宙的縮影，煉的是宇宙的理，而且宇宙是運動的，反過來就是法煉人。你沒煉功，他煉你，和傳出的所有功法理論都不同，我這是獨一份的法煉人。其它所有功法都走丹道這一派，人為的煉功、存丹，我們不用。我們這個功甚麼時間煉都可以，你不煉功功煉你，不用選擇時間，時間多就多煉，時間少就少煉。我們這個功法要求不是特別嚴的，但我們對心性要求是非常嚴的。我們的功法也不講方向，站在哪個方位都可以。因為宇宙是旋轉的，在變動，你站在西邊也不一定是西邊了，你站在東邊也不一定是東邊了。我要求弟子煉功面西而站，只是個敬意，實際上並不起甚麼作用。煉功在哪兒煉都可以，家裏外面都行。但是我覺的還是找一個場地、環境、空氣比較好一點的，特別是離髒東西要遠，如垃圾箱、廁所等，其它都沒關係。修煉大法不講時間、地點和方位。飯前飯後都可以煉，但你吃的太飽的話，馬上就煉也難受呀，最好還是歇會兒。當肚子餓的咕咕叫時也難入靜，大家針對自己的情況來掌握。

弟子：煉完功後有甚麼要求？要不要乾洗臉？

師：我們煉完功後不怕涼水甚麼的，也不用乾洗臉、乾洗手，這都是初期為了打開人體穴脈所採用的。我們是大法修煉，都沒有這些東西，現在已不是剛剛改變人體那個狀態了。常人走向煉功人好像很難很難，而且有些功法又無法直接改變人體，在它來講有些要求很複雜，我們這裏都沒有，也沒這些說道。我沒講到的你都不用去管，只管去煉。因為我們是大法修煉，你身體處於初級狀態怕這怕那，或這要求那要求的過程，在幾天之中都走過去了。我不說抵其它功法幾年的功夫，但也差不多吧。低層次上的東西，這個方位，那個脈呀，等等這些我都不講，我們講高層次上東西。大法修煉，真正煉功，是「煉」字而不是「練」字。

弟子：煉功後能否立即大小便？小便中有許多泡沫，是否會漏氣？

師：沒有問題的。我們煉功人在高層次上，大小便確實有能量帶出，不過那點能量不算甚麼，甚麼也不影響。煉大法還要普度眾生，這一點不要當回事，我們得到的要多的多。辦這個班，我打出去的能量很強很強，牆上都留著許多東西。

弟子：能否宣傳法輪功？能否教没聽課的人煉法輪功？没聽過課的是否能在輔導站煉功？寄錄音帶和書給外地親友可否？

師：普及我們的功法，叫更多人受益，不會出偏。我給你講出許多法，就是讓你知道法，了解高層次上的東西，看到高層次上的東西。先講出來是怕等你看到或遇到時不理解。你可以教别人煉功，但是你下不了那個法輪。怎麼辦？我講了，你要是三心二意不怎麼煉功，我的法身就要離開你。如果你真正煉功，法身就要管你。所以你教他功的時候，就帶了我教的信息，就帶有形成法輪的氣機。你教的人有心去煉，就能形成法輪。有緣份，根基好的，當時就可以得到法輪。咱們的書寫的很詳細，没人教，也能煉的好。

弟子：煉法輪功講不講呼吸？如何調息？

師：煉法輪功，不需要調息，也不講呼吸，那是初級功法學的東西，在我們這裏不需要。因為調息呼吸是為了煉丹、添風、加火。逆式呼吸、順式呼吸、嚥津都是為了煉丹，我們不煉這個。你所需要的一切都由法輪來完成。有些更高更難的東西，由師父法身來完成。

任何一派，特別是道家講的更詳細，但不是人為的煉出來的。實際上是他那派的上師在給他演煉，在給他化，他只是不知其理。自己人為的做不了，只有開了悟，開了功的人才能做。

弟子：煉功有意守嗎？功法的意念在何處？

師：我們這裏没有意守，一直没有叫大家意守，讓你放棄執著，不要求甚麼意念。第三套功法，兩掌帶氣貫通兩極，一想就得，其它不要想。

弟子：採集能量是否和採氣一樣？

師：我們採氣幹啥？我們修煉的是大法，將來都發不出氣。我們煉的不是低層次上的氣，而放出來的是光。能量的採集，用法輪來做，不需要我們自己做。但比如貫通兩極法，他不是採氣，實際上是貫通身體，也起到採能量的作用，但主要不是這個目地。要説採氣怎麼採？大法修煉，一揮手頭頂會感到壓力很大，一下子就來了很多很多，但要氣何用呢？能量也不需要特意去採。

弟子：法輪功是否有百日築基和胎息？

師：那都是低的，我們不煉。我們早就走過初級那個不穩定的時期了。

弟子：法輪功是否有陰陽平衡？

師：這些都屬於練氣，是低層次上的東西，當你跳出氣的層次後，你的身體不存在陰陽平衡問題。不論你煉哪家功法，只要真正得到師父真傳，保證當你走出低的層次，就要把你以前煉的全部扔掉，一樣都不要！在新層次上又煉一套新的東西，再通過一層，又煉一套新的東西，就是這樣。

弟子：打雷能不能煉功？煉法輪功害怕聲音嗎？

師：我給大家舉個例子，過去我在北京某個大院內教學生，當時要下雨，打雷很厲害。當時他們煉的功是我傳給弟子的功，煉的時候要在法輪上走游樁。我看來雨了，他們的功還沒煉完，可是，這時大雨就根本下不起來。雲很低，雲彩在樓上翻滾，雷打的很厲害，天很暗，當時雷打在法輪的圈上，但對我們絲毫無損傷。雷打下來在地下的情況看的清清楚楚，也沒傷到我們。這說明我們這功是有保護的。一般我煉功不分甚麼天氣，想起來就煉，有時間就煉，也不怕聲音。別的功都怕聲音，因為你在很靜很靜的時候突然聽到一個很響的聲音，你會有種感覺，簡直就是渾身上下所有的氣就像爆炸一樣，閃著光竄到體外。但不要緊，我們的功不出偏。當然還是儘量找一個安靜的地方煉好。

弟子：要不要觀想老師的形像？

師：不用觀想，你天目開了就可以看到我的法身就在旁邊。

弟子：這五套功法煉的時候有甚麼要求？是否必須一起煉？要求煉九遍的心裏數著數可以嗎？超過了九遍或動作記錯會不會起反作用？

師：五套功法煉哪套都可以，我想你在煉功之前最好把第一套功法煉了，因為他會把整個身體活動開，你先煉一遍，身體充份運動開了，再煉其他功法效果比較好。時間多就多煉，時間少就少煉，或者挑其中的一套功法煉。第三、四套功法各煉九遍，書裏寫著心裏數數，你回去可以試一試，叫你孩子在旁邊數著，你做。當做九遍後再找氣機就找不到了，因為我這東西就是這樣，開始要用思維想一下，習慣以後自然就停了。記錯了動作或多做少做了，糾正過來就可以了。

弟子：為甚麼收式不收功？

師：法輪自動旋轉，他瞬時間知道你不煉功了。他能量很大，瞬間就能把放出去的東西收回來，比你人為怎麼收都好。這也不是收功，只是把能量收回來。其它功法說停就停。咱們這個功法一直在煉，停了也在煉，所以是不能收停的。想把法輪停止了，你也停不下來。說深了你不理解，如果你能讓他停，我這兒也得停了，你能把我這兒也停止了嗎？

弟子：結印、雙手合十可不可以當站樁來煉？

師：第一套功法——佛展千手不能當站樁煉，抻大勁了，會抻出毛病來。

弟子：煉功時腋下是否要求虛？在煉第一節時感到腋下發緊是怎麼回事？

師：是不是你有病？在初期狀態，改變你身體時，發現這個那個現象，會有些症狀，但不是功帶來的。

弟子：沒有聽過李老師講課的人，能否在公園跟學員煉功？

師：可以的。學員都可以教別人煉功。學員教別人煉功不像我這樣教，我要給大家直接改變身體。但也有的人一煉就出法輪，因為學員身後都有我的法身，他會直接去處理。這就要看緣份，緣份大的，當時就可以得到法輪；緣份不大的，得通過長期煉功，自己慢慢形成這種玄機。再煉功使玄機形成法輪。

弟子：靜功「神通加持法」手印動作的涵義是甚麼？

師：這用我們的語言解釋不了，每個動作包括的涵義很多，大體上就是：我要煉功了，要煉佛法了，調整好身體，進入煉功狀態。

弟子：煉成奶白體時，是不是毫毛孔竅都打開了，形成了體呼吸？

師：大家體驗體驗，你已經走過這個層次了，因為我要把你身體調到奶白體狀態，要講十多個小時的法，不能再縮短了。你在別的功法中要煉十幾年幾十年或者更長的時間，我們這裏一下就給你帶到這一步。因為這步沒有心性的要求，根據師父能力來做，當你還沒體會到時，這個層次就過去了，也可能只有幾個小時。有那麼一天，你感覺到很靈敏，過一會又不靈敏了，實際上就是一個大層次過去了，而你在其它功法中要保持一年或幾年這種狀態，這些，其實都是低層次上的東西。

弟子：在公共汽車上或排隊等候時，想法輪功各式可以嗎？

師：我們的功不是動意念，也不要求每天必須煉多長時間，當然煉的時間越長越好。當你沒煉時，反過來它煉你。但是在煉功初期還是要多煉，加強它。有些學員曾出現這樣的情況，出差一兩個月，在這一兩個月中忙於事務性的事，沒煉功，回來之後絲毫沒受影響，法輪還在轉，因為他不停息。你腦子裏想著你是個煉功人，心性守的住，他就起作用。只是有一點，你又不煉功，又把自己混同於常人，他就要化掉了。

弟子：法輪功可以和密宗一起煉嗎？

師：密宗也是法輪，但不能和我們的功一起煉。如果你煉密宗法輪已經形成後，你可以煉密宗，因密宗也是正法，但同時煉不行。密宗的法輪是修中脈的，平著轉，它的法輪跟我們的不一樣，它的輪子上有咒語。我們的法輪是在小腹部位上立著放的，平面向外，小腹就這麼大，我的一個輪子就佔滿了，再放一個就攪和了。

弟子：煉法輪功可以煉其它佛家功法嗎？觀音錄音帶能聽嗎？在家的居士學功後可不可以念經？是否可以同時煉其它功法？

師：這個問題我想不能。每一法門都是一種修煉方法，真正要修煉而不是祛病健身，就必須要專一，這是個嚴肅問題。往高層次上修煉就得把住一門往上修，這是絕對的真理。而佛家中的幾個法門也都不能摻和的。我們講的這個功法是高層次的，是經過久遠年代流傳下來的，靠你的感覺不行。從另外空間看他的演化過程，都是極其玄妙、極其複雜的。就像一個精密儀器，如果拿下它的一個零件，換個別的放上，馬上就壞了。功法也是一樣，任何東西都不能往裏摻和，摻和進去保證出偏。各門功法都一樣，你要煉就一定要專一。你不專一根本就修不了。取眾家之所長的說法，是袪病健身這一層次的說法，他不能把你帶到高層次上去。

弟子：與煉其它功法的人在一起煉功是否會互相影響？

師：不管他煉甚麼功，道家功也好，神功也好，佛家功也好，只要是正法，對我們毫無干擾，你對他也沒干擾。他在你跟前煉對他有好處，因法輪是靈體，不是煉丹，他可以自動幫助。

弟子：可以叫其他氣功師調理身體嗎？聽其他氣功師的報告是否有影響？

師：我想這個班下去後，大家都會體會到你的身體怎麼樣了，過一段時間就不允許你有病了。再來毛病，可能像感冒，也可能像肚子痛，實際上已經不是這個東西了。而是劫難、是過關。你找其他氣功師調，是你不悟、不相信我説的話，抱著有求的思想，就會招來不良信息干擾你修煉，那個氣功師是附體的功，你也可能招來那東西。聽報告也一樣，想聽不就是去求嗎？這個問題你自己去悟。這是個心性問題，我不管。如果他講的是很高的法，講心性問題倒也可以。你參加我的班，你的身體好不容易給調整過來了，本來你身體練的信息很雜的，身上亂了套，現在都調整順了，把壞的去掉，好的留下。當然我不反對學其它功，你覺的法輪功不好可以學別的功，但我想學的很雜的話也不行。你已經修大法了，法身就在你身邊，得了高的又往回找！

弟子：煉法輪功能否再學別的功法？如按摩、防身功、一指禪、太極拳等，不練其功看這方面的書有關係嗎？

師：學習按摩、防身可以，但有些時候發狠心時就覺的不自在了。一指禪、太極拳屬於氣功，煉了呢，會往裏面加東西。我的東西在你身上就不純正了。看書講心性的還可以。但有一些書作者自己沒搞明白，就下結論，會搞亂你的思想。

弟子：「頭前抱輪」有時手會碰上，有沒有關係？

師：不要碰，我們要求是離縫的，碰上，手上的能量會回去的。

弟子：煉第二套功法臂堅持不住時，放下來再煉行不行？

師：煉功是很苦的，一酸就拿下來等於沒起作用，要求時間越長越好，但要量力而行。

弟子：雙盤為甚麼女的左腿在下、右腿在上？

師：因為我們煉功講一個基點，女身和男身不一樣，所以要以她的本體去演煉自己，就得符合女性的生理才有效，女的通常是左腿托右腿，符合自身狀態，男的相反，基點不一樣。

弟子：聽錄音帶或聽音樂或念口訣煉功行嗎？

師：如果有好的佛家音樂可以聽，但真正煉功甚麼音樂都不要，因為要求定力，聽錄音帶為了一念代萬念。

弟子：貫通兩極法是放鬆，還是要求用力？

師：貫通兩極法要求自然站立、放鬆，不要求像第一套功法那樣，我們其他的都不像第一套功法，都要放鬆。

三、修煉心性

弟子：我想做到「真、善、忍」，但昨天做夢和別人吵架，吵的很兇，我想忍，沒忍住，這是不是在幫我提高心性？

師：當然是。夢是怎麼回事我們已經講了，大家自己去悟。提高心性的事來的很突然，不是等你做好思想準備去迎接它時才來的。看一個人是好是壞，只有在沒有思想準備的情況下才能試的出來。

弟子：法輪功「真、善、忍」中的「忍」，是否一切事物都要忍，不管正確與否？

師：我講的「忍」，是指在關係到你個人利益的問題上，你執著放不下的這些東西上提高你的心性。實際上「忍」不是件壞事，就是對常人來說也不壞。咱們講個故事：韓信是個大將軍，從小就好武，當時的煉武人就愛挎劍。韓信走在街上，過來一個無賴說：「你挎這個幹甚麼？你敢殺人嗎？你敢殺人先把我殺了。」說著脖子就伸過去：「如果不敢，就從我胯下鑽過去！」韓信就鑽過去了，他「忍」的本事很大。有人把忍看成軟弱可欺，其實能忍的人意志是很堅強的。至於事情的正確與否，要看它是否真正符合宇宙的理。你認為一件事不怨你，是別人惹你生氣了，其實你不知道到底為甚麼？你說：「我知道呀，就是為一件小事情。」我說的是另外一個理，不是我們這個物質空間看的見的。講個笑話，也許你前世欠人家的，你怎麼能判斷它正確或錯誤呢？我們就得忍。哪有先把別人惹生氣了再去忍的？對真正惹你生氣的人，你不但要忍，還要謝他。他罵了你，去老師面前告了你一狀，你回頭心裏還得說謝謝。你說：「那不成了阿Q了嗎？」那是你的想法。通過這件事，如果你和他不一樣看待，你的心性就提高了。在這個物質空間他佔有了，在那邊他是不是給你東西了？你的心性提高了，黑色物質就轉化了，一舉三得，為甚麼不謝人家？站在常人角度上不好理解。我不是在給一般人講，而是在對煉功人講。

弟子：沒有附體的人提高心性可以避免附體，有附體的人怎麼辦？怎樣才能擺脫？

師：一正壓百邪。你今天得到這個法，以後就是它給你帶來好處你都不要。若是那個東西給你帶來錢、名、利的時候，你心裏高高興興的，「看我多有本事」，人前顯示一下。在你難受的時候你不幹了，要找老師給你治一治，那麼它給你好處的時候你怎麼幹呀？那是不能管的，因為它給你好處你接受了，你光想著得到好處那不成。只有你自心不要，帶來好處也不要，就是按老師說的方法去修煉。你人一正，心一堅定，它已經擔驚受怕了，給你好處你又不要了，它就該走了。再不走就是做壞事了，那個時候我就能管它了，一揮手它就沒影了。但有好處你如果想要就不成。

弟子：在公園煉功會不會有附體？

師：我都跟大家講了多少回了，我們是正法修煉，心正壓百邪！正法修煉，心很純正，甚麼東西也上不來。法輪可是了不起的東西，不好的東西不僅是上不來，到它跟前都害怕。你不信到別的地方去煉功，它都怕你。我說出個數，大家都覺的嚇人，好多人是有附體的。達到祛病健身目地了還往下練，你想得到甚麼呢？心不正就引起這些問題。不過也不怨那些人，他不知道這些理嘛，我出山的目地其中也包括這個，給大家糾正這些錯誤的東西。

弟子：將來會出現甚麼功能？

師：我不想講，因為每個人的情況不一樣，所以很難說。在這個層次上出哪些，那個層次上出哪些，關鍵是每個層次當中你的心性。執著心可能在這方面去掉了，這個方面出現了功能，但你出現的功能必定是在初期，不會很高的。心性達不到很高的時候，功能也不可能給你。但我們傳授班上有人根基很不錯，已經出現神足通，下雨淋不著，也有出現搬運的。

弟子：修心性，去掉一切執著心，是不是指達到佛家的「空」，道家的「無」？

師：我們所說的心性或是「德」，都不是佛家的「空」、道家的「無」所包容得了的，相反，他們那些都包括在我們的心性之中。

弟子：佛永遠是佛嗎？

師：修煉得道者，開悟之後，你就屬於大覺者，也就是高級生命，但不能保證你永遠不做壞事。當然一般在那個層次你不會做壞事，因為看到了真相，但如果做壞事，照樣下來。永遠做好事就永遠在那兒。

弟子：甚麼是大根器的人？

師：這由幾個方面的因素可以決定：①他的根基很好；②悟性很高；③忍耐力很強；④執著心小，對世間的東西看的很淡，這就是大根器。大根器的人很難得。

弟子：無大根基者煉法輪功能出功嗎？

師：無大根基者也能出功，因為每個人都帶有德的成份。沒有一點德的成份是不可能的，沒有這樣的人。如果你身上沒有白的物質，也還有黑的物質，黑的物質通過煉功可以轉換成白的物質，只是多了一道手續。在煉功中你吃了苦，提高了心性，有了付出，也就有了功，煉是先決條件，然後由師父法身把它化成功。

弟子：一個人出生時，他的一生就是定好的，那麼通過奮鬥能改變嗎？

師：當然可以改變，你奮鬥也是安排好的，不奮鬥也不成，你是常人，但大的東西改變不了。

弟子：天目沒開的情況下，怎樣辨別接到的信息是好是壞？

師：你自己不好辨別，在你煉功中，存在著許多考驗你心性的問題。法身保護你是不叫你出生命危險，但有些東西出現他不一定管，需要你自己去過，自己去化，自己去悟。有時不良信息來了，它告訴你今天獎券是多少號，也許是對的，也許不對，或者告訴你其它的事，就看你怎麼做。心正邪不侵。只要你守住心性就沒問題。

弟子：心情、情緒不穩定時可不可以煉功？

師：在心情不太好時你往那兒一坐也靜不下來，思想盡想不好的事，煉功是有信息存在的，腦子裏想不好的東西，你煉功就煉進去了，人為的練邪法。你煉的功也許是名師教你的，也許是哪個上師教你的，或是密宗活佛傳的，可是你沒嚴格按他們要求的心性去要求就不是他那個功，別看是他教的。咱們大家都想一想，假如你在那兒煉站樁累的夠嗆，但腦子裏很活躍：我們單位裏的某某怎麼這麼壞呢？他怎麼告我的狀？長工資想甚麼辦法能長上？現在的物價漲了，我要多買點兒。那麼是不是你人為的、下意識的、不自覺的在練邪法？所以心情不好時儘量不要煉。

弟子：「極高心性」的標準是甚麼？

師：心性是修煉的，沒有甚麼標準，全靠你自己去悟。假如非要說有標準的話，就是遇到事時你想想：假如覺者他該怎麼去做？先進者當然是很突出的，但他還是常人的模範。

弟子：對各個氣功師的報告、講話不能抱懷疑態度，但遇到騙人騙錢的怎麼辨？

師：那不一定，首先你要看講的甚麼。遇到騙人的，你自己去辨別。看一個氣功師的好壞，可以看他的心性，心性多高，功就多高。

弟子：如何消去業力，即佛教中講的消業障？

師：煉功本身就是消業。最好是提高自己的心性，能把黑的物質轉化成白白的東西，即「德」的物質，把德轉化成功。

弟子：煉法輪功有甚麼戒律？

師：佛教中要戒的東西，我們大部份都戒。但看法不一樣，我們不是出家人，要生活在常人之中，所以就不一樣。有些東西把它看淡了，就可以了。當然，隨著功力的不斷提高，達到極高層次時，對你的心性的要求也是極高的。

四、天目

弟子：老師説法時看到老師頭上三尺高的金色光環，背後有許多人頭大小的金色光環？

師：這個人的天目層次已經不低了。

弟子：看見老師弟子為別人治病用酒噴霧時夾帶著金光？

師：我説這個人煉的不錯了，打出的功能都看見了。

弟子：孩子開天目是否對他有影響？天目開了是否在釋放能量？

師：六歲以下小孩很容易開天目，小孩不煉功，開天目就是能量外泄，但家裏一定要有人煉功。最好是叫他每天看上一遍，保持不關閉，同時又不過多外泄。小孩最好自己煉功。用的多能量泄的多，它影響的不是他們的肉體，而是最根本的東西。但如果保持好，不會有影響。我剛才講的是小孩，不是大人。有些人的天目不是一開就怕放能量，它是敞開的，不怕放能量，但是看不到很高層次的東西。也有能看高層次的，看的時候，法身或其他上師供給能量，這沒有問題。

弟子：看到老師身上出現黃燦燦的光，還有老師的影子，轉眼就沒有了，怎麼回事？

師：這就是我的法身，我在講法，頭頂有功柱，在我這個層次就是這樣的。轉眼就沒有了，是你還不會用天目，用了眼睛看了。

弟子：特異功能怎樣運用？

師：把特異功能用在軍事科學或其它高科技上，或用於搞情報，我想這裏邊有個問題。我們這個宇宙是有特性的，只要它符合這個特性，它就靈；不符合這個特性，它就不好使。儘管叫他辦好事，高層次上的東西他搞不來，也就是感應感應。做些小術對正常發展的社會無妨。他要是想改變甚麼的話，那要做很大很大的事，需不需要他做，他說了不算，因為社會的發展不是按人的意志而轉移的。他想達到甚麼成度，這事誰也做不了主。

弟子：人的意識是怎麼進出的？

師：我們講意識，一般是從頭頂上出去。當然，不侷限這樣，他可以從任何一個地方出去。不像有些功法強調的一定從頭頂上出去，甚麼地方都可以離體。進去也是一樣。

弟子：天目區有紅光，中間是黑洞，迅速一層層開花，是不是在開天目？還有時有星光、閃電？

師：當你開到有星光時就開的差不多了，有閃電實際上快開透了。

弟子：看到老師頭上身上有紅色、綠色光環，但閉上眼甚麼也看不見，是不是用餘光看的？

師：不是用餘光看到的，你只是不會閉著看，是睜著眼看。往往天目開了的人不會用，有時睜著眼無意之中能看到的，可是你要是一定想仔細看看，實際上是用了眼睛，又看不見了，當你不注意時又看見了。

弟子：我的女兒在空中看到一些圓圈，她說不清，叫她看法輪章，她說就是這個，她是否真的開了天目？

師：咱們的法輪章，六歲以下的小孩看一眼天目就開了，不過你可不要去做，小孩是可以看到的。

弟子：天目開了不會應用，請教師解答？

師：當天目開的很透的時候，不會用的也會用了；很亮、很好使的時候，不會用的也會用了。用天目看東西是在無意狀態下看見的，想仔細看時，無意中動了眼睛，走了視神經，所以就看不見了。

弟子：天目開後看到的是不是整個宇宙空間的東西？

師：我們開天目是分層次的，也就是說你看到的真相多少，是分層次決定的。開天目不見得宇宙中的一切都看的到，而是在以後的煉功中逐漸提高你的層次，最後達到開悟，你才能看到更多的層次，那也不保證你看到的是整個宇宙的真理。因為釋迦牟尼當時在他有生之年傳法時，也是不斷提高，每當提高一個層次時，他發現以前所講的東西又不穩定了，再往高往下看又不對，所以他最後講「法無定法」，一個層次一個理。他也不可能完全看到整個宇宙的真理。在我們一般人看來，世間修煉達到如來層次就以為是不可思議的了，因為他就知道如來這個層次。再高的東西他也不知道，就接受不了，如來是佛法中一個小小的層次，大法無邊，就指這個。

弟子：我們看到您身上的東西是否真的存在？

師：當然是真的存在，所有空間都是物質構成的，只不過結構和我們的不一樣。

弟子：我的預感往往跟所發生的事相一致？

師：這就是我們所談的預測功能，實際上就是宿命通的低層次階段。我們煉的功都是在另外空間，在那個空間沒有時空概念，不管隔多遠都是一樣的。

弟子：煉功中出現彩色人、彩色天空、圖象？

師：你天目開了，你所看到的東西是另外空間的。另外空間是分層次的，你看到的可能是其中一個層次，它就是這樣漂亮。

弟子：煉功中突然一聲響，覺的身體被衝開了，有許多事物都豁然明白了？

師：有些人煉功容易出現這種情況，炸開身體的一部份，某些方面開悟了，是屬於漸悟的情況。當你修煉的一個層次走完了，就炸開一部份，這都是正常的。

弟子：有時有動不了的感覺，甚麼原因？

師：煉功初期，你可能會有這種感覺，突然手或某個部位動不了了，為甚麼呢？因為你有了一種功能，叫定功。這是你本身存在的一種功能。這個功能本事很大，當一個人做了壞事正跑的時候，你說「定」，當時他就動不了了。

弟子：甚麼時候可以看病？我以前給人看病有一些療效，學習法輪功後，有人找我看病，我能否給人看？

師：我看這個班上的人，不管你以前學過哪一家功法，練了多長時間，能達到看病成度與否，低層次上，不想叫大家看病，因為你自己都不知道自己是個甚麼狀態。你是給別人看過病，可能是因為你當時心正，起了作用，也可能是哪個過路的師父幫了你一下，因為你在做好事嘛。即使你煉的那點能量能起作用，也保護不了你自己。你看病時，和病人同在一個場，久而久之，身上的黑氣，你比病人病的還要厲害。問病人：好沒好？他說「舒服一點兒」，那叫甚麼看病？有的氣功師講：明天來一次，後天再來一次，我給你看一個療程。他也講「療程」，這不是騙人嗎？等你到了高層次上看多好？看一個好一個，那多痛快！如果你已經出功了，而且也不算低，實在需要看病的時候，我會給你開手的，我可以把你的治病功能給你拿出來。但是你往高層次上修，我想最好還是別做這種事。為了宣傳大法和參加社會活動，我的弟子有一部份在看病，因為他在我身邊，我帶著他，他有保障，所以沒關係。

弟子：出了功能可以和別人說嗎？

師：出了功能和煉法輪功的人說，謙虛點，沒有問題。把大家集中起來煉功就是為了大家可以切磋。當然，在外面碰到有功能的人也可以和他說，無所謂，只是不要顯耀，如果想顯耀一下我有本事就不成。顯耀的時間長了，那東西就沒有了。如果想講氣功現象，探討一下，沒有一點個人雜念，我說是沒有問題的。

弟子：佛家講「空」道家講「無」，我們講甚麼？

師：佛家的「空」，道家的「無」是它本功所特有的東西，當然我們這裏也需要達到這種境界。我們講有心煉功無心得功。修心性，去執著心，所以還是空無，但是我們不特殊強調它。因為你生活在物質世界裏，你要上班，你要工作，必然要做事。做事就必然帶來一個好事、壞事的問題，怎麼辦呢？我們修的是心性，這是我們這個功最突出的東西，只要你心正，做出來的事符合我們要求的，心性就沒有問題。

弟子：我們在平時怎樣才能體會功能的增長呢？

師：在你煉功初期，如果出了功能會體會出來。如果沒出功能身體敏感的話，能體會出來。如果兩樣都不具備，就沒法感覺了，只好閉著眼睛煉。我們學員有百分之六十至百分之七十是開了天目的，能看到，我都知道。你們不出聲只是瞪著眼睛看，為甚麼叫大家一起煉功？是想你們小組內部可以互相交流切磋。但本著對功法負責，到外邊不要亂說，內部之間交流、互相提高可以。

弟子：法身甚麼樣？我自己有法身嗎？

師：法身長的和本人一樣。你現在沒有法身，等煉到一定成度，走出世間法，修煉進入極高成度，才能出法身。

弟子：傳授班結束後，老師的法身還能跟多久？

師：一個學員一下子煉高層次上的東西，對他來說就是一個相當大的轉變，不是指思想轉變，而是指你整個人的轉變。因為一個常人突然得到了他作為常人不應該得到的東西，那是危險的，生命就要受到威脅，我的法身必須得保護他。如果我做不到這一點，而在這裏傳法，就是害人。好多氣功師不敢做、不敢傳，就是因為他負不了這個責任。我的法身會一直保護著你，一直到你修成。中途你不修了，法身自己就走了。

弟子：老師說：普通人修行不是靠煉功，而是靠心性。是否可以說，只要心性高不要煉功也可以得正果？

師：按道理是這樣的，只要你修心性，德就可以轉化為功。但是，你必須把你當作煉功人。你不當作煉功人，只能積德積德，你可能積好多德，一味做好人去積德，即使把自己當作煉功人也不行，你還沒得高層次上的法。大家知道，我講出很多東西來，沒有師父保護你，你是很難修上去的，你一天都不能在高層次上煉功。所以要想得正果不是那麼容易的。但是，心性提高之後，同化於宇宙特性。

弟子：遙治的原理是甚麼？

師：道理很簡單，宇宙能大能小，功能發出去也是能大能小。我在原地沒有動，但功能發出去可以觸及到像在美國那麼遠的病人。可以把功打過去，也可以直接把他的元神調過來。這就是遙治的道理。

弟子：能否知道會出多少種功能？

師：功能上萬種而不止，具體知道多少都是無關緊要的，知道這個理、這個法就成了，剩下的自己去煉。也沒必要知道那麼多東西，對你也沒有好處。師父找徒弟，收徒弟，那徒弟甚麼都不知道，也不告訴你，全靠自己去悟。

弟子：我在班上閉眼睛能看到您在上面講課，上身是黑的，桌子也是黑的，後面布是粉色的，有時您周圍是一片綠光，這是怎麼回事兒？

師：這是你層次問題。因為天目剛開時會把白的看成黑的，黑的看成白的。稍微提高層次之後，看一切都是白的；再提高層次之後，顏色就分開了。

五、魔難

弟子：魔難是師父對弟子安排的考驗嗎？

師：可以說是這麼回事。這是為了提高大家的心性而安排的。假如說，你心性沒達到那麼高就讓你修上去能成嗎？就像一個小學生，送他到大學裏去行嗎？我想那不成吧！你的心性沒得到真正提高，一切都不能看淡，都不能放下的時候，假如讓你修上去，你會為一點小事和覺者鬧起來，那不行！為甚麼把心性看的這麼重要，就是這個道理。

弟子：煉功人和常人的魔難有甚麼區別？

師：我們煉功人和常人沒有甚麼區別。你的魔難是按煉功人的道路給你安排的，常人是在還常人的業，都有魔難，不是說你煉功就有了，常人就沒有了，都一樣會有。只不過你這個魔難是為了提高你的心性而設的；他的那個魔難是為了還清他的業而設的。其實魔難是自己的業力，我利用了一下來提高弟子心性。

弟子：魔難是不是像西天取經的那八十一難？

師：有點類似。煉功人的一生已經安排好了，不會多，也不會少。但不一定是八十一難。這要看你的根基能修多高，是根據你可能達到的水平而安排的。常人所具有的而煉功人應該去掉的那些東西，都要過一遍，的確是很苦的。你放不下的東西都要想方設法讓你放下，通過魔煉來提高你的心性。

弟子：煉功時有人破壞怎麼辦？

師：煉法輪功不怕別人破壞。在初期，有我的法身保護著你，但你不是絕對甚麼事都遇不到了。整天坐在沙發上，喝著茶水就長功，不是這樣的！有時你遇到魔難，喊我名字，看見我在你眼前，也許不幫你，那是因為你應該過的一關。但是你真正遇到危險時是會管你的。不過，一般這種真正的危險也不會存在，因為你那條路已經改變了，不允許意外的東西插進來。

弟子：怎樣對待魔難？

師：我反覆強調了，守住你的心性！做出的事你認為沒做壞就很好。特別是因為某種事別人侵犯了你的利益的時候，你也像常人一樣和他打起來，那你也就是常人了。因為你是煉功人，就不能那樣去對待。你所遇到干擾你心性的事情，都是在提高你的心性，就看你怎樣對待，看你能不能守住，看你能不能在這件事中提高你的心性。

六、空間與人類

弟子：宇宙有多少層次空間？

師：據我所知，宇宙中有無數層次空間，對於更多層次空間的存在，以及那些空間中有甚麼，誰在那裏？以現有的科學方法是很難知道的，現代科學還不能做出實證。而我們一些氣功師和特異功能者能夠看到其它空間，因為看其它空間只能用天目看，而不能用肉眼看。

弟子：各個空間都包含「真、善、忍」特性嗎？

師：對，每個空間都包含「真、善、忍」的特性。順應這種特性的人，就是好人；背道而行的，就是壞人；同化於他的就是得道者。

弟子：最初的人類是從哪裏來的？

師：最初的宇宙沒有這麼多的縱向層次，也沒有這麼多的橫向層次，它是很單一的。在它的發展運轉過程中產生了生命，也就是我們所説的最原始的生命，他和宇宙是同化的，沒有不好的東西存在。同化宇宙，就是和宇宙一樣，宇宙中的一切功能他都有。隨著宇宙的發展、演化，又出現了一些天國。往後，出現越來越多的生命，在我們低層次上講，就是形成了社會群體，相互之間發生了聯繫。在這個演變過程中，有些人發生了變化，偏離宇宙的特性越來越遠，變的不那麼好了，神通也就小了。所以煉功人要講「歸真」，就是回歸到原始狀態，層次越高，就越同化宇宙，本事就越大。這時在宇宙演化中一些生命變不好了，又不能毀滅他，就想辦法叫他再提高上去同化宇宙，讓他到較低的一個層次去，吃點苦，提高提高。後來不斷有人到這個層次來。以後在這個層次中又發生了分化，心性變的更不好的人，這個層次也留不住了，於是又創造了下一個層次。就這樣，越來越往下，逐漸分化，直到今天，產生了我們人類所在的這一層次。這就是人類的來源。

法輪功

定價：NT$250
USD15

二〇〇八年一月初版第一次印刷
二〇二〇年七月二版第三次印刷

著　者　李洪志
發行所　益群書店股份有限公司
台北市重慶北路二段229-9號
☎02-25533122　25533123　25533124
劃撥：0015152-2　傳真：02-25531299
益群網站：http://www.yihchyun.com.tw
E-mail：yihchyun@ms54.hinet.net
出版登記證：局版台業字第0668號

ISBN：978-957-552-827-0

•如發現本書有破損或裝訂錯誤者，請寄回本店更換　編號：T101-970103